SUPERサイエンス

ニセ科学の栄光と挫折

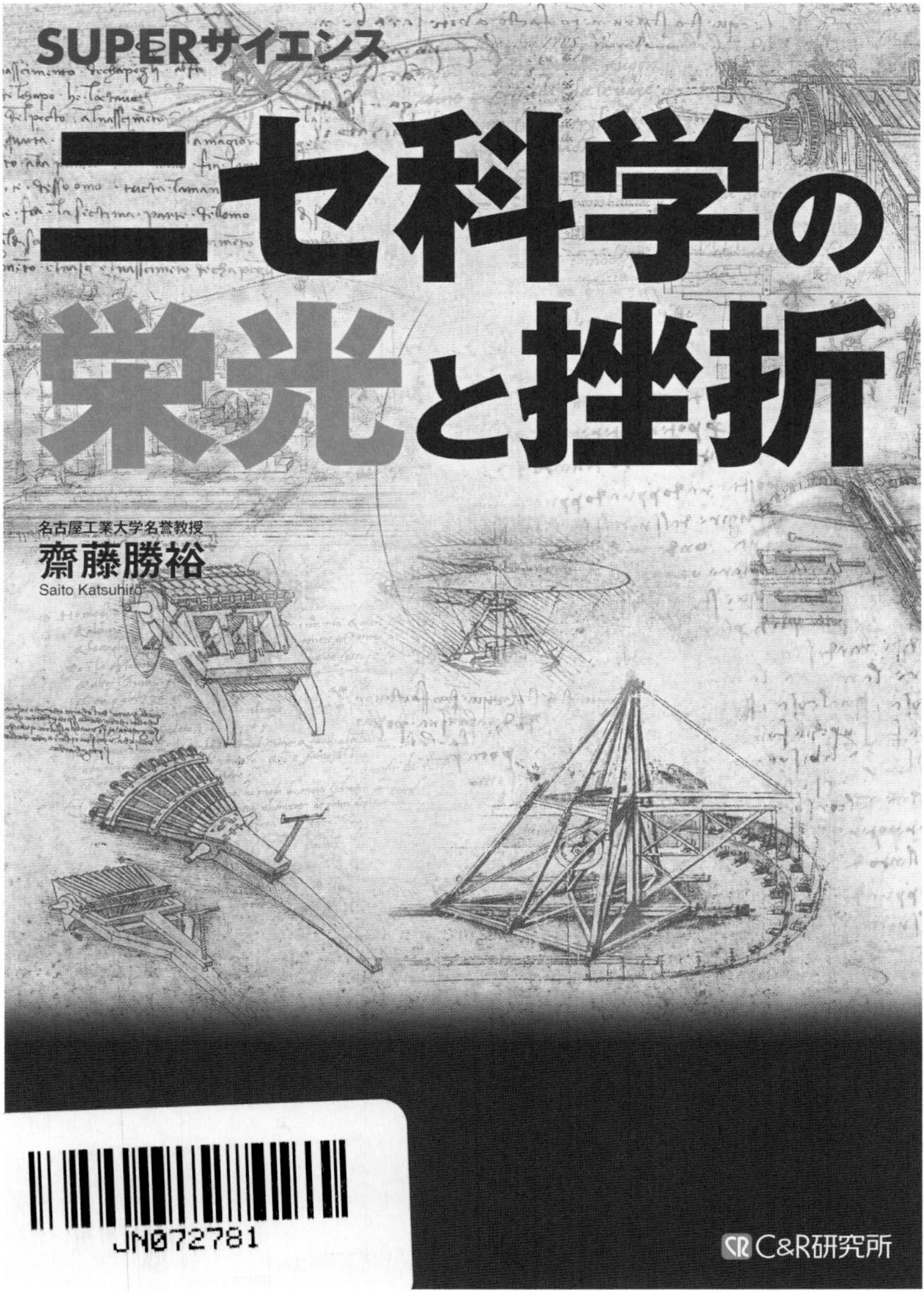

名古屋工業大学名誉教授
齋藤勝裕
Saito Katsuhiro

C&R研究所

■本書について

- 本書は、2021年2月時点の情報をもとに執筆しています。

●本書の内容に関するお問い合わせについて

この度はC&R研究所の書籍をお買いあげいただきましてありがとうございます。本書の内容に関するお問い合わせは、「書名」「該当するページ番号」「返信先」を必ず明記の上、C&R研究所のホームページ(https://www.c-r.com/)の右上の「お問い合わせ」をクリックし、専用フォームからお送りいただくか、FAXまたは郵送で次の宛先までお送りください。お電話でのお問い合わせや本書の内容とは直接的に関係のない事柄に関するご質問にはお答えできませんので、あらかじめご了承ください。

〒950-3122　新潟市北区西名目所4083-6
株式会社C&R研究所　編集部
FAX 025-258-2801
「SUPERサイエンス ニセ科学の栄光と挫折」サポート係

はじめに

　科学は自然に学ぶことです。自然の現象を謙虚に観察し、その背後に潜む自然の哲理に真摯に学ぶのが科学の精神であり、それは自然に生きる人類の変わることの無い精神でもあります。

　近代になって科学者が増え、科学的な現象、法則の発見が重なると科学は組織的な活動となり、学会ができました。科学者は発見した事象を論文に纏めて学会に報告します。学会はそれを纏めて学会員に知らせます。このようにして科学者の発見は発見者だけのものでは無く、全科学者の共有財産となり、その財産を糧にしてさらなる新発見に挑戦することができることになります。

　ところが最近、この論文にデータの改竄、論旨の捏造、あるいは他人の論文の剽窃等の不正行為が目立つようになりました。科学ですから、間違いは仕方のない事です。しかし故意に事実を捻じ曲げることはあってはなりません。

　本書はこのような科学界における、正当な間違い、不当な改竄、捏造の例を紹介するものです。本書がきっかけになって、科学界のこの様な間違った行いが影を潜めることになれば大変に嬉しい事です。

2021年2月　　　　　　　　　　　　　　　　　　齋藤勝裕

CONTENTS

CONTENTS

Chapter 3 伝承の知恵と迷信

CONTENTS

Chapter 4 食生活の迷信

Chapter 5 健康の迷信

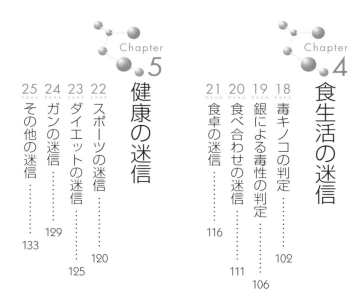

Chapter 6 原子炉の現実

Chapter 7 捏造事件

Chapter. 1
古代・中世の科学

SECTION 01

正しい科学と間違った科学

正しい科学とは何でしょう？　間違った、誤った科学とは何でしょう？

これは単純で直ぐに答えられそうな問題ですが、実はそうではありません。これは非常に難しい問題なのです。正しいか間違っているかは、質問された時期（年代、時代）によります。

宇宙を作るもの

宇宙は何からできているのでしょう？　宇宙は「原子」からできていると言ったら正しいのでしょう

か？　宇宙は「気」からできていると言ったら間違いなのでしょうか？

科学における正誤は難しい問題です。50年前に同じ質問をしたら、「原子」は正しいが「気」は間違っていると言われたでしょう。しかし現在は違います。宇宙を構成している「もの」の中で原子のような物質は5％に過ぎないと言われています。

宇宙の70％はダークエネルギーであり、25％はダークマターであり、原子のような「物質」は残りの5％に過ぎないのです。「気」がもし、勢い、エネルギーのようなものを指すのだとしたら、宇宙は「気」からできていると答えた方が正解に近いことになります。

観察と考察

なぜそのような違いが出るかと言えば、それはその時までに蓄積された観察事実、観測事実、実験事実の量と質、精度が違うからです。

科学は思考によって生まれる物と考えたら間違いです。科学の基本は観察、観測、実験です。これらの事実を基にして、その中に潜む普遍的な法則、真実を発見して構築するのが科学なのです。実験事実に裏付けされない「法則」は自然現象に適用できる「科学的な法則」ではありません。それは「空想」あるいは「妄想」にすぎません。預言者や宗教家が神がかった顔をして厳かに述べるつまらないご託宣にすぎません。

実験事実に制限される科学は、その時に手に入れることのできた実験事実の範囲を超えることはできません。実験の機器、技術が向上して広範、精密な実験事実が入手できれば、科学はそれだけ広範、精密になります。しかし、実験事実が狭く、雑だったら、科学もそうならざるを得ません。

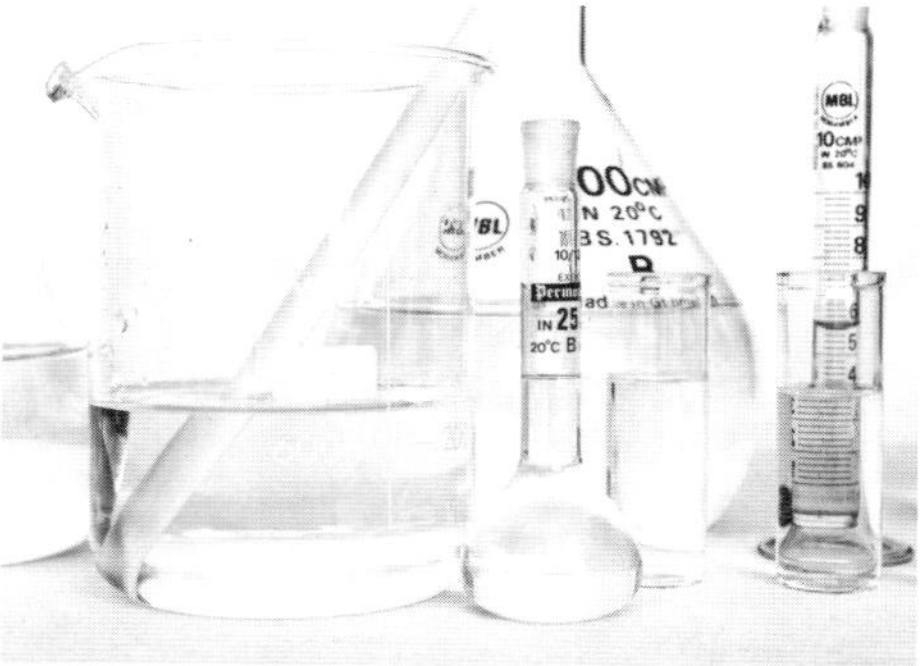

顕微鏡が無かったら病原菌を見ることはできません。その様な場合には、病気は「悪い気」によって起こされると答えるくらいしかなかったことでしょう。古代はまさに、この実験機器も、それに基づく実験事実の蓄積も不十分だったのです。それでも当時の人はその乏しい知識をフル活用して普遍的な法則を見つけだそうと努力したのです。

人間は考える葦である

フランスの哲学者パスカルは人間を「考える葦」であると言いました。その意味は人間の力は弱いが、考えることによって強くなると言うような意味です。まさしくその通り、人類はその誕生以来、常に考え、考え、考え続けてきました。その営みは今この瞬間も少しも休むことなく続けられています。

しかし、科学は考えたからといって正解が得られるとは限りません。考えるためにはデータ、事実の観察が必要です。その観察データは科学の進歩と共に詳細、正確になっていきます。つまり、人類が持っている全ての科学的知識は時間とともに正確になっていく運命にあります。

ここでは人類が過去においてどのような科学観を持っていたのかを尊敬を持って振り返ってみましょう。現在の私たちから見れば、荒唐無稽としか言いようの無い宇宙観ですが、当時の精鋭たちが、乏しい観察知識を基に全知全能を傾けた結晶なのです。

●ブレーズ・パスカル

SECTION 02

古代宇宙論の不思議

人類はその誕生のときから、昼には東から昇って西に沈む太陽を見、夜にはまたも東から昇って西に沈む月を見、同時に北極星を中心に同心円を描いて円周運動をする星々を見てきました。

これは人間の手の届かない遥か彼方を輝く何者かが動き回っているのだと考えた事でしょう。動き回るためには空間が必要です。その空間を、民族によって言葉は違いますが、宇宙と考えたのでしょう。その宇宙はどのようなものなのか？　古代人は古代人なりに、彼らの持っている科学的知識を総動員して考えた事でしょう。その答えが古代文明の宇宙観なのです。

古代エジプトの宇宙論

古代エジプト人は宇宙を次のように考えました。つまり大地（地球）は植物でおおわれて横たわる女神ゲブの姿であると考えました。そして、その上に天の神ヌトが、体を折り曲げて大気の神に持ち上げられているのです。

太陽の神ラーと月の神は、それぞれ二つの舟に乗って毎日、天のナイル川を横切って死の闇に消えていくものと考えていました。

古代ギリシアの宇宙論

神話期時代のギリシア人は、大地は平たい円盤で、オケアノスという大洋に浮

●古代エジプトの宇宙論

かんでいると考えました。水は我々の世界を取り囲むだけでなく、太陽も月も星も灼熱した水蒸気で天井の水の空を航行しているとしました。そして大神ゼウスの命令により、巨人アトラスが天を支えているのです。

神話期以降になると、宇宙の中心には地球があり、その周りを月・水星・金星・太陽・火星・木星・土星の順番で7つの星が回っているとしました。そしてその外側に星の張り付いた天球が回っているとしました。これは天動説です。しかしこれだけでは惑星の食や逆行が説明できないため惑星は周転円をえがきながら回っているという周転円説が考え出され

●古代ギリシアの宇宙論

天動説はそれなりに完成されたのです。

この天動説は、哲学者アリストテレスの「天体論」において始まり、天文学者ヒッパルコスの周転円の考えを導入して、プトレマイオスに至って確立されました。

古代インドの宇宙論

古代インドでは、世界は巨大な亀の甲羅に支えられた3頭の象が半球状の大地を支えていると考えられていました。この大地の上には須弥山《しゅみせん》とよばれる高い山がそびえています。

須弥山の下には、下から風輪、水輪、地輪、金輪と重なる世界があり、周囲は九山八海《くせんはっかい》が同心円状に交互にとり囲んでいます。人間が住むのは最外

●古代インドの宇宙論

縁の閻浮提《えんぶだい》です。中腹の四方には四天王、頂上には帝釈天を中心とする三十三天の宮殿があり、太陽や月はこの山の中腹を回っているとするのです。この宇宙観（須弥山宇宙説）は仏教とともに日本にも伝えられました。

古代中国の宇宙論

古代中国では、すでに宇宙を単に空間的なひろがりだけでなく、時間をも含む概念として捉えていました。

そのことは紀元前2世紀の前漢時代の書物「淮南子」に、「往古来今謂之宙　四方上下謂之宇」という記述があることでわかります。この文章の意味は『「宙」とは往古来今すなわち時間であり、「宇」とは四方上下すなわち空間のことである』ということです。

具体的な宇宙の構造に関しては4つの説がありました。

❶天円地方説

大地は巨大な正方形をなしており、天はそれよりさらに大きい円形または球形であり、大地を覆っている。

❷ 蓋天説

大地はお椀を伏せた形で、その上に半球形の屋根のような天が覆っている。

❸ 渾天説

卵形の宇宙の中心に卵黄のように大地がある。

❹ 宣夜説

「天は了として質なし」つまり質（物質）も何もない空虚な空間が無限に続くという無限宇宙論です。その中に浮かぶ各天体はそれぞれ独自の規則に則って運動しているとします。この説は現代の宇宙観に通じるものですが、その後発展することなく衰退したようです。

SECTION

03

錬金術の不思議

長い間、「錬金術は安い卑金属を高価な貴金属に換えると言って領主を騙したペテン師」というような目で見てこられました。しかしそれは誤解です。錬金術はその様なお金儲けのためにだけ行われた研究ではありません。

錬金術は科学的な研究であると同時に哲学的、ある意味宗教的な側面をも持った研究でした。錬金術師たちがその真摯で熱心な研究によって培った科学技術と科学知識は当時並ぶものがありませんでした。彼らの目的は、当時は達成されませんでしたが、彼らの遺した知的財産は現代科学の礎となっています。

そればかりではありません。彼らの後を継いだ現代科学者たちは、ついに卑金属を貴金属に換えることに成功したのです。つまり、錬金術はペテンでは無かったのです。

錬金術の思想

錬金術における最大の目標は賢者の石を創り出す、あるいは見つけ出すことでした。賢者の石は、卑金属を金などの貴金属に変え、人間を不老不死にすることができる究極の物質と考えられていました。また、人間が神にも等しい智慧を得るための過程の一つが賢者の石の生成とされました。

錬金術の歴史

錬金術の発祥の地はギリシア、エジプト、メソポタミアなどの諸説があるもの

●賢者の石を創り出す錬金術師

の定かではありません。実際に古代エジプトではミイラの作成の為に薬品の調合が盛んであり、宝石の加工や着色技術も発達していたことから古代エジプトが最も有力視されています。

中国では不老不死の仙人になるために錬金術が研究されましたが、実際に永遠を欲した皇帝たちが飲んでいたのは水銀であり、長生きどころか寿命を縮めた結果となってしまいました。

万有引力という世紀の大発見をしたニュートンも錬金術の魅力に取りつかれた一人です。高名な心理学者であるユングは「心理学と錬金術」という人間の心理から錬金術に着目しました。ユングは錬金術を「対立しあうものの結合」であり、人々が深層心理で望んでいるものであると指摘し、錬金術における物質の変化は心の変容のプロセスに例えられるとしました。

錬金術の影響

現代人の視点からは、卑金属を金に変性しようとする錬金術師の試みは否定されます。しかし、歴史を通してみれば、錬金術は古代ギリシアの学問を応用したものであり、その時代においては正当な学問の一部だったのです。

そして、他の学問同様、錬金術も実験を通して発展し、各種の発明、発見が生み出され、ついには科学である化学に生まれ変わりました。これは歴代の錬金術師の貢献なくしてはありえなかったことです。

錬金術の成果

錬金術は中世の世界に多大な技術的貢献をしました。その主な物を見てみましょう。

❶ 磁器の製法

ヨーロッパでは磁器を中国・日本から輸入しており非常に高価な物でした。それをヨーロッパで生産する方法を再発見したのは錬金術師です。ザクセン選帝侯アウグスト1世が錬金術師ベトガーに研究を命じ、ベトガーは1709年白磁の製造に成功したのでした。

❷ 蒸留技術

アランビック蒸留器を発明し、それを用いて高純度アルコールの精製に成功しました。この蒸留器は日本では江戸時代にランビキの名で使用されました。

❸ 火薬の発明（中国、7～10世紀頃）

中国で不老不死の薬の製作中、硫黄と硝酸、木炭を混合して偶然発明したといわれます。

❹ 硝酸、硫酸、塩酸、王水の発明（中東、8～9世紀頃）

緑礬《りょくばん》や明礬《みょうばん》などの硫酸塩鉱物と硝石を混合、蒸留して硝酸を得ました。また緑

●アランビック蒸留器の発明

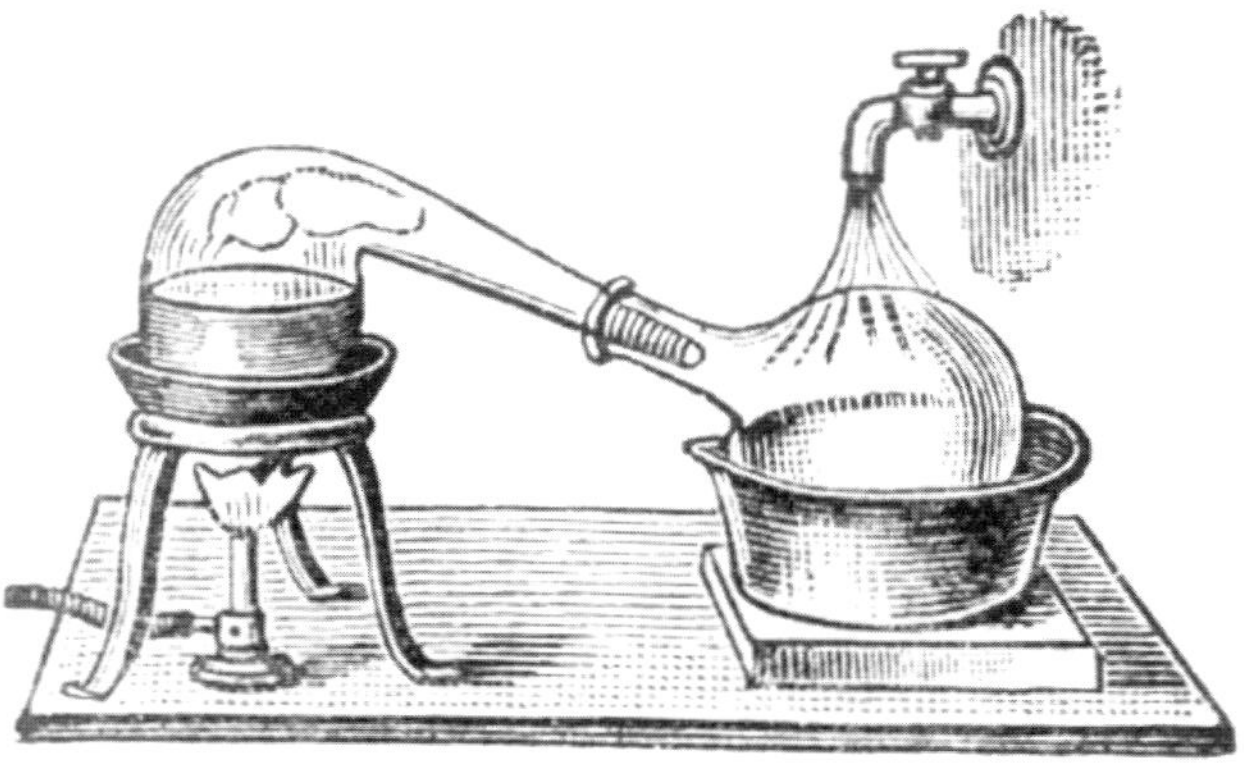

礬や明礬などの硫酸塩鉱物を乾留して硫酸を得、硫酸と食塩を混合して塩酸を得、塩酸と硝酸を混合して王水を得ました。

このように宗教や神秘主義までに影響を与えた錬金術は、卑金属を貴金属に換えると言う基本目的には成功しませんでしたが、科学技術と技術文明の発達といった面から見れば大成功だったと言えるのではないでしょうか？

●王水

SECTION 04

天動説

中世においてヨーロッパ世界を巻き込んだ科学大論争と言えば、天動説と地動説の戦いでしょう。この論争は地動説の勝ちといわれますが、はたしてそうだったのでしょうか?

天動説

地球は不動の宇宙の中心にあり、太陽その他の天体は地球の周りを回っているとする宇宙観です。プトレマイオスによって大成され、中世キリスト教世界では絶対の真理とされました。

メソポタミアなどに見られる原始的な宇宙観はわれわれの住む世界を大地と理解し、天体は天空の外縁にあって、周回しているというものでした。そのような原始的宇宙観に、初めて科学的な真理の探究によって転換をもたらしたのはギリシアの自然哲学者たちでした。

❶ アリストテレスの天動説

そのなかで中心的な働きをしたのが、数を万物の中心と考えたことで知られるピタゴラスでした。彼は、地球は球体であると考えました。

ギリシア哲学最盛期のプラトンの後を継いだアリストテレスは、宇宙を有限な大きさの球形と考え、その中心に地球があるとするギリシア自然哲学の体系を作り上げました。その後、この宇宙観が最も権威ある世界観として確立したのでした。

ヘレニズム時代の前3世紀にはアレクサンドリアのギリシア人学者であったアリスタルコスは、遊星の軌道は地球を中心とした円運動では解釈できないことに気づき、独自に太陽を中心において地球や月、遊星がその周りを回転しているという地動説を主張しましたが、アリストテレス的世界観の枠を破ることはできず、「太陽を中心として地球がその周りを回っている」という地動説はやがて忘れ去られてしまいました。

❷プトレマイオスの天動説

ローマ時代の紀元2世紀になると、プトレマイオスはアリストテレスの「地球を中心にして太陽がその周りを回っている」という天動説の体系を精密な観測データで実証しようとしました。当時はまだ望遠鏡などはありませんでしたが、プトレマイオスは当時としては最も精密とされる観測機器で、天体の角度を測定しました。そのため、プトレマイオスの説は揺るぎのないものとなり、ローマ帝国での定説となりました。

❸キリスト教教会の天動説

キリスト教は迫害をうけましたが、や

●天動説にもとづく天球図

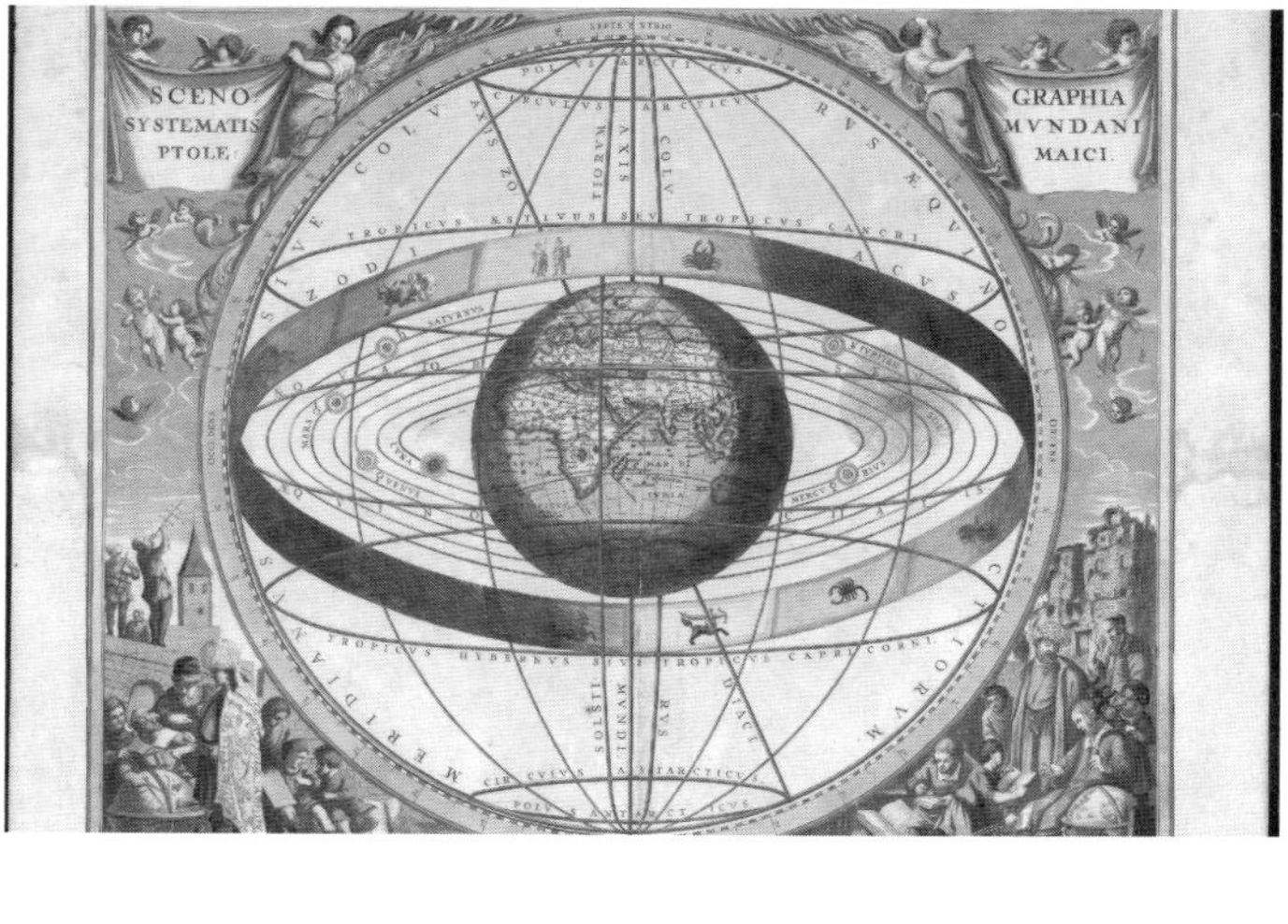

がてローマ帝国の国教となりました。中世ヨーロッパにおいてローマ教会は人々の信仰だけでなく、あらゆるものの見方を規制するようになりました。

教会付属の学校で中心となったのは、スコラ哲学でした。これはキリスト教の神の存在という抽象的な理念をどのようにして実体化するかという問題を扱っていました。そのために、ギリシアのアリストテレスの体系によって教理を解釈し直そうと試みました。

その地球中心の宇宙観はそのまま教会公認の宇宙観として定着しました。また、聖書には所々に太陽が動いていることを示す言葉があり、その解釈から言っても天動説が正しいものと信じられました。

しかし、12世紀を過ぎるころから、観測データを基に天体の動きを正確に把握しようとの動きが出てきました。その理由の一つはイスラム世界との接触によってギリシアの文献が知られるようになり、プトレマイオスなどの観測データが利用できるようになったことでした。

また当時の暦、ユリウス暦と実際の季節のズレが大きくなったため、新たな暦を作る必要が出てきたこともありました。また、15世紀末に始まる大航海時代は、さらに精密な天体観測の技術を発達させていっただけでなく、マゼランの世界一周の成功によって地球が球体であることが証明されました。この様なことがあって、天動説の優位は揺らぎはじめていったのでした。

❹天動説の終焉

そのような背景のもとに、登場したのがポーランド人のコペルニクスでした。彼は16世紀の初め、聖職者でありながら天体観測を続け、アリストテレスやプトレマイオスの天動説では天体の運行を正しく解釈できないことに気付きました。

コペルニクスは長い間書きためた手稿を1543年、亡くなるその年に出版しました。この地動説を詳細に論じた書物は、カトリック教会だけでなくルターな

●コペルニクスの天球の回転について

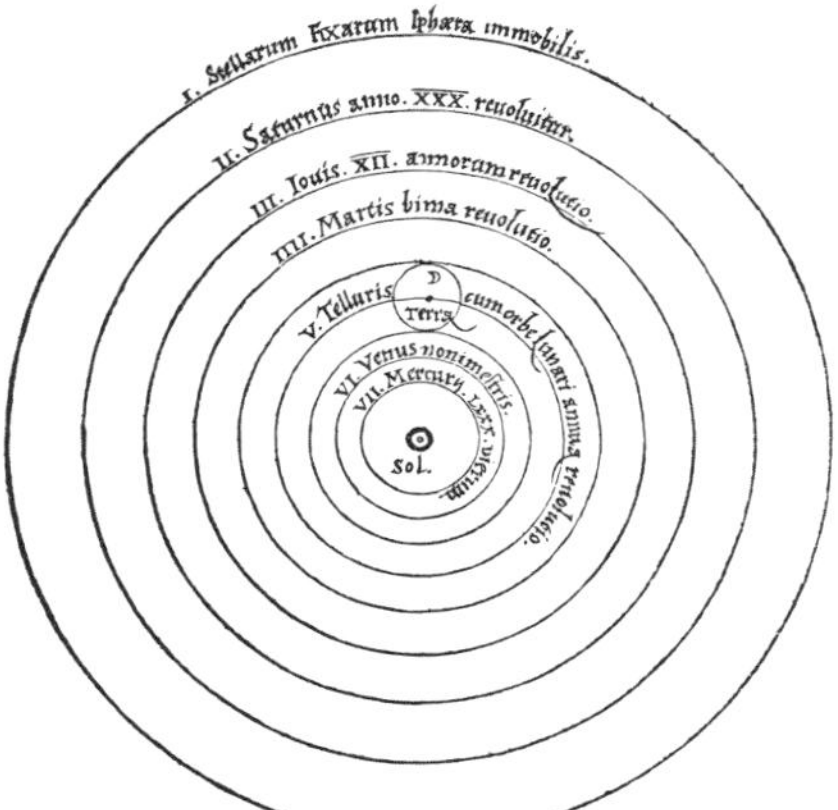

どのプロテスタントからも聖書の記述に反する妄説としてしりぞけられ、無視されました。

しかし、その影響を受けたガリレイなどがさらに精密な観測で地動説の正しさを実証すると、教会は危険思想と断定し、1616年にコペルニクスとガリレイの書物を禁書にしました。

しかし、18世紀に入るとケプラーやニュートンの精密な計算に基づく天文学や万有引力の法則の発見などによって地動説の正しさが実証されたため、天動説は完全に終わりを告げたのでした。

●ケプラー初期の多面体太陽系モデル

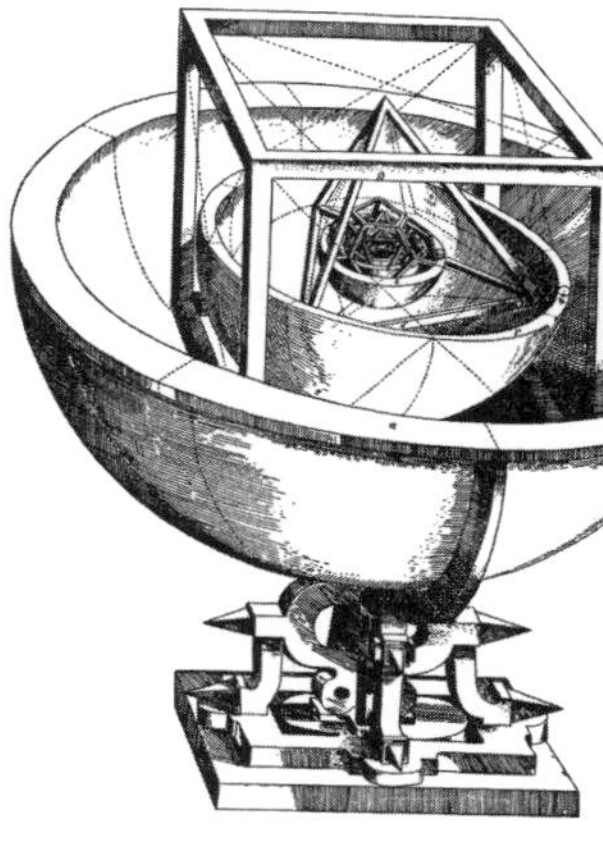

SECTION 05

地動説

地球を宇宙の中心において不動のものと考え、太陽や月、遊星や恒星はすべて地球の周りで円周運動を行っているというのが天動説でしたが、全くそれを逆転させ、われわれの住む世界が球体をなしており、しかも空間に浮かんで円周運動をしているというのが地動説です。

❶古代ギリシアの宇宙観

地動説の最も早い見解としては、ギリシアのピタゴラスとその後継者フィロラオスに見ることができます。ピタゴラスは初めて地球を球体であると唱え、他の天体と同じく円運動をしていると考えました。また、フィロラオスはすべての天体の円運動は中心火(太陽ではない)の廻りで行われていると言いました。

一方、ギリシアの代表的哲学者であるプラトンは、宇宙は球体の地球を中心とした広大な球面であるとし、太陽や月や遊星が同心円を描いて回転しているという天動説を主張しました。しかし、イデア論(観念論)を重視したプラトンは実験や観測は軽視し、観念的な理論に終わっています。

プラトンの弟子のアリストテレスは、あらゆる学問の体系化を進めましたが、プラトンのイデア論に対して、現実世界の観察を重視しました。しかしその宇宙観は地球を宇宙の中心に据え、宇宙は球体の外郭をもつ球体と考えました。アリストテレスは古代における天動説を完成させた人物とみられています。

❷アリスタルコスの地動説

ギリシア天文学の中には、アリストテレスの理論では、遊星(火星や金星など)の動きを説明できないことに気がついた人々もいました。遊星は実際には地球と同じく太陽を回っているので、地球から見ると他の恒星と異なって単純な軌道を描きません。そのことはバビロニアの古代人も気がついていましたが、ギリシア人はさらに精密に観測し、前3世紀のヘレニズム時代のアレクサンドリアで活動したアリスタルコスは、遊星の動きをアリストテレスの説では説明できないとして、太陽は動かず地球がその周りを回っているという地動説を主張しました。
しかし、アリストテレスの宇宙観は依然として権威であったため、アリスタルコスの説は忘れ去られました。さらにローマ時代の紀元後2世紀、アレクサンドリアのプトレマイオスは、当時の最高水準での天体観測の結果として、地球を中心として太陽その他の天体がその周りを回転しているという天動説を詳細に論じ、それが定説とされるに至ったのでした。

❸コペルニクスの地動説

中世キリスト教世界ではスコラ哲学が優勢でした。スコラ哲学によれば聖書に示されている神によって作られた宇宙とは、プトレマイオスが示したような地球中心の世界であり、太陽その他の天体が地球の周りを回っているというものでした。この天動説がローマ教会公認の宇宙観として永く続いたのでした。

しかし、12世紀に入ってイスラム文化を介在してギリシア語文献が知られるようになったこと、14～16世紀のルネサンスと大航海とともに新しい理念や知見を人々にもたらしたのでした。

このような時代に登場したのがポーランド人のコペルニクスでした。彼は聖職者でありながら天体観測を続け、1543年「天体の運行について」という書物を刊行しました。彼はその書で、太陽は宇宙の中心にあって動かず、地球が太陽の廻りを年に1度の周期で回転、さらに1日に1回、自転を行っていると主張しました。

❷地動説に対する弾圧

コペルニクスはその年に病死しましたが、地動説を体系的に述べたこの書は天文学者に大きな影響を与えました。ブルーノは地動説を発展させて、太陽でさえ不動のものでなく動いているという宇宙観に到達し、危険思想として1600年に教会の手によって異端の烙印を押され、処刑されました。

その後、ガリレイは、初めて本格的な

●ニコラウス・コペルニクス

望遠鏡を作成して天体観測を続け、コペルニクスの説をデータの上で証明しました。しかし、やはり教会によって裁判にかけられ、1616年にその著作とともにコペルニクスの書も教会の禁書目録に入れられてしまったのでした。その時に言ったガリレイの言葉「それでも地球は動いている」は歴史に残る言葉として刻まれています。

❸ケプラーとガリレイ

ドイツ人のケプラーは先人の遺したデータを数学的に分析し、惑星運動が単純な円運動ではなく、楕円軌道を描くこと、またその速度も一定でないことなどを明らかにして、「ケプラーの三法則」を発表しました。これは地動説を数学的に証明したものと言われます。

ケプラーやガリレイは、地球を含む惑星が太陽の周りを回っていることを余す

●ガリレオ・ガリレイ

ところ無く明らかにしました。この説は教会による否定にもかかわらず、合理的な世界観として一般に受け入れられるようになりました。

しかしなお、その運動の力はどこから来るのか説明できる学説はありませんでした。そこに出てきたのがニュートンでした。ニュートンはイギリス経験哲学の流れをくみ、実験と微積分法による軌道計算など数学的理論化をすすめ、1687年にその学説を著書「プリンキピア」として公表しました。

このニュートン力学は「万有引力の法則」として知られ、惑星運動も太陽の引力によるものとして説明されました。これで最終的に地動説は疑いのない真理とされるに至ったのでした。

●アイザック・ニュートン

SECTION 06

現代の宇宙論

21世紀に生きる私たち現代人は現代の宇宙観を持っています。それは20世紀初頭に現われたアインシュタインの相対性理論に基づくものです。

❶ビッグバン

それによると宇宙には始まりがあり、それは今から１３８億年前に起きたビッグバンという大爆発によるものでした。ビッグバンが何処で起きたかはわかりません。というより、その様な質問は無意味なのです。というのは、ビッグバンの起きる前には宇宙は存在しなかったのです。ビッグバンによって水素原子が飛び散りましたが、その水素原子が存在する範囲が宇宙なのです。水素は現在も飛び続けています。つまり宇宙はこの瞬間にも広がりつつある、すなわち膨張しているのです。

❷ 恒星の誕生

太陽や恒星はこの水素原子が雲の様に集まった物です。集まると重力が発生し、ますます多くの水素原子を引き付け、中心の圧力は高くなります。すると断熱圧縮によって高温となり、この高温高圧のために水素原子核が核融合を起こします。太陽や恒星はこの際に発生する膨大な量の核融合エネルギーによって輝いているのです。

水素は核融合するとヘリウムになります。全ての水素がヘリウムに変わると今度はヘリウムが核融合します。このようにし恒星の中では次々と大きな原子が誕生していきます。

❸ ブラックホールの誕生

しかしこのような原子の成長も、原子が鉄に達するとお終いです。鉄以上になると核融合してもエネルギーが発生しないのです。エネルギーを出すことができなくなった星はその巨体を維持することができなくなり、自身の重力によって縮んでいきます。

この縮み方は尋常ではありません。もし地球が(惑星ですが)この割合で縮んだとすると、直径1㎞ほどの球になってしまいます。このようになった恒星を中性子星と言います。

中性子星の中には重力バランスを崩して爆発するものが出てきます。これが超新星(爆発)です。超新星爆発の結果生じるのが、物質が究極まで圧縮されたブラックホールです。もし地球がブラックホールになったなら、その直径は0・09㎜と言います。

こうなるとその重力はものすごく、光さえも吸い込まれ、二度と出ることができなくなります。そこでブラックホールと言うのです。

というのが、最新の宇宙論です。しかし、この宇宙論でも解き明かされていない部分はたくさんあります。宇宙は最後にどうなるのか？　こんな質問にもハッキリした答えはありません。ある説ではやがて収縮してお終いになると言いますし、ある説では膨張の後は収縮し、それを繰り返すといいます。またある説では、全てがブラックホールに飲みこまれ、宇宙全体が巨大なブラックホールになると言います。

この様な説を聞いていると、その人の人生観の反映ではないのかと思ってしまいます。宗教観のようなものかもしれません。簡単に言えば天動説も地動説も正しくは無いのです。地球から見たら太陽が動いているし、太陽から見たら地球が動いているのです。すべては相対的なのです。

Chapter.2
近・現代の科学

SECTION 07

科学者の良心

近代になって大きく発展した研究領域に科学があります。その発展の速度は現代になってますます加速されています。

科学とは何でしょう？　それは自然現象を人間の言葉で正確に記述することです。言葉というのは話し言葉だけではありません。科学の世界では数学が時にして最も雄弁な言葉になります。

科学の喜び

科学は作ることではありません。科学は自然と自然現象を観察し、それを正確に記述し、その背後に潜む普遍性、法則を発見し、それをその通り、正確に記述することです。科学が自然を越えることはありません。科学が自然を作ることもありません。

それでは科学を研究することの喜びは何でしょう？　それは発見の喜びです。未だ誰も見たことの無い自然現象を見つける喜びです。その発見を多くの人に知らせ、それを見る喜びを多くの人々と共有することです。

そしてその発見した現象の背後に潜む法則を紡ぎ出し、その法則に他の自然現象も従っていることを確認する喜びです。それはその確認によってより広い自然を理解できることにつながるからです。

科学者を惑わすもの

しかし、科学研究の世界にもいろいろの夾雑物があります。科学者もときにはその夾雑物に心を奪われ、本来の科学を見失うことがあります。その夾雑物にはいくつかありますが、基本的には名誉欲と金銭欲です。

名誉欲は、人よりも早く発見したい、人よりも優れた発見をしたいということです。それによって称賛や賞をもらい、尊敬されたいということです。そのためには発見に何かを付け加えて、より優れた発見のように作りかえることを行ってしまいます。実際には発見していないのにあたかも発見したようにデータを作りかえることもあります。

金銭欲は、発見をお金に換えたいと言うことです。そのために、お金になりそうな研究ばかりを優先させることになります。その人の下で研究している科学者は大変です。科学的な研究テーマでなく、お金儲けの研究テーマをやらされることになります。やがて本当の科学的テーマを推敲する意欲も志も失せてしまいます。

このようなことは、あってはいけないことなのですが、時折起こります。特に歴史が新しくなるほど、起こる確率が高くなっているようです。

天動説を主張した人に邪心は無かったでしょうが、地動説を譲らなかった教会人には自分たちの優位性と名誉、更には地位を護りたいという邪心があったのではないでしょうか?

錬金術師の中には、純粋に賢者の石を発見、あるいは作ろうと心を砕いた人もいたでしょうが、領主を騙して研究費としてお金をせしめようと考えた人もいたことでしょう。

科学者の資格

近世のヨーロッパの歴史に残る科学者を見ると、貴族が多いことに気が付きます。なぜでしょう？　それは彼らが研究を行うのに十分な資金、研究費と、十分な暇な時間があったということでしょう。しかし、もう一つは、彼らは貴族として十分な名誉と生活にあり余るお金を持っていたということです。

今更名誉やお金のためにアクセクする必要は無かったのです。生活を離れて研究に没頭することができたのです。ですから、あのようなお金にもならない基礎的な研究を続けることができたのです。

ギリシアではスポーツを行う選手よりも、それを眺めて楽しむ観客の方が優れているという観念があったと言います。選手は勝つこと、それによって名誉と金銭を得るためにスポーツをするのであって、それは卑しい精神だと言うのです。近代オリンピックのアマチュア精神はこの流れに沿うものです。

しかし、現代のスポーツは選手の方が尊敬されています。眺めて喜んでいる観客はその他大勢に過ぎません。観客でも王族貴族は特別の扱いを受けますが、それは別の理由によるものです。

科学の世界も似ています。最近の科学者は例外を除けば平民です。名誉もお金も欲しい人が多いです。この様な人が多い科学界に名誉と金銭の種が転がりこんだらどうなるでしょう?

後の章で見ますが、最近の科学報告の粗製乱造はともかく、捏造報告の多いのは目に余ります。その原因はこのような所にあると言わざるを得ません。

本章では20世紀に入って起こった、水に関するあやしい科学の例を見ることにしましょう。ポリウォーターから水成ガソリンまでいろいろな話が登場します。

ポリウォーター事件

ポリウォーター発見の報告から、存在が否定されるまでに起きた一連の学会の熱狂と社会現象はポリウォーター事件として知られています。

ポリウォーターとは、1966年にソ連のボリス・デリャーギンによって発見・報告された「特殊な水」です。「ポリ」はポリエチレンのポリと同じでギリシア語で「たくさん」という意味です。ポリエチレンは「エチレン」という有機分子がたくさん繋がった物で一般に英語でポリマー、日本語で多量体、あるいは高分子と言います。プラスチックは典型的なポリマーです。

ポリウォーターというのはたくさんの水分子が繋がった、いわば水の高分子、水のプラスチックのような意味を持ちます。

デリャーギンは水をキャピラリー（細管）に通すことにより通常とは異なる性質をもつ水ができると報告したのです。たとえば、水をキャピラリーに通すだけで融点はマイナス30℃、沸点は４００℃にも達し、粘性は15倍、膨張率は１・４倍となり、通常の水とは大きく異なることを「発見」したのです。

しかし、この状態の水を得るには水をガラス管に通す以外に方法がなく、1回の実験で数ミリグラム（千分の数グラム）程度しか得られないという問題点がありました。

追随研究

この報告は世界中に衝撃を与え、支持的、批判的を含めて様々な立場の研究者らによって追試が行われました。その結果から、通常の水よりも強い水素結合の存在が示唆され、多くの水分子が重合しているのではないかと考えられたことから、ポリウォーターの名前が与えられました。

一部研究者が、ポリウォーターは加熱処理などによって固体状にすることができる可能性を示唆したことから、石油からプラスチックを加工するように、水を原料とした高分子材料の産業が開花するのではないかとも言われました。

また、理論計算からポリウォーターは通常の水より安定した状態であると導かれたため、ひとたびポリウォーターが自然界に放たれると凝縮核として作用し、地球上の水を全てポリウォーターに変化させてしまうのではないかという危惧さえも現われました。

しかし、次のような理由から、次第にポリウォーターの存在は否定的となっていきました。

❶水が石英に触れる機会は自然界中にあふれているのに、自然界でポリウォーターが発見されていない

❷ 分析の結果、ポリウォーターには不純物が含まれている
❸ 重水から作られたポリウォーターと軽水から作られたポリウォーターにスペクトルの違いがない
❹ メタノールや酢酸など、水以外の物質をガラス管に通しても同様の変化を見せる

ポリウォーターの破綻

ついに1973年、デリャーギン自身が、この変化は水分子の結合の変化ではなく、ガラス管を通すときに水に不純物が溶け込んだためであると結論し、ポリウォーターの存在は完全に否定されるに至りました。

なぜポリウォーターはこのような騒動を生んだのでしょう？ そこにはお金と名誉が絡んでいたようです。もし、水に何らかの刺激を与えることでポリウォーター化することができれば、安価な新しい高分子材料となるとも期待されます。それは従来のプラスチックに代わる夢のような材料の発見です。デリャーギンはそのきっかけをつかんだだけですから、もし自分がより具体的な発見をすれば、ノーベル賞にも値し、

またビジネスとしても大変魅力的であるということで異常な先陣争いが始まったのでしょう。

その後一時的に、科学界から水の研究者が減るという現象を生まれました。水の研究をしていると、うさん臭く見られてしまうのではないかといった恐れが研究者達に生じたためと言われています。

SECTION 08

現代のポリウォーター

始めにお断りしておきますが、これは決してあやしい研究ではありません。れっきとした学術研究です。

研究の要点は次のようなものです。つまり、高分子電解質ブラシの隙間に入り込んだ水は、常温でありながらほぼ氷のように繋がっていることが明らかになったと言うのです。これは幻に終わったポリウォーターと似た状態と言うことができます。

水の性質

水は固体(氷)になると液体より密度が小さくなります。これは隣接する水分子同士が、水素結合という弱い結合によってネットワーク構造を構築するからです。

高分子電解質ブラシは、新たな表面高機能化材料として注目を集めています。その高分子電解質ブラシ中に存在する水は通常の水（ここではバルク水と呼ぶ）と異なる水素結合構造を形成することが明らかとなっています。

この研究では、バルク水と高分子電解質ブラシ中の水の水素結合にどのような違いがあるかを調べました。

研究成果

以前の研究で液体の水の中には水素結合に違いのある2種類の構造、つまり「歪んだ水素結合構造」と「氷によく似た秩序構造」が存在することがわかっています。今回の研究によって、高分子電解質ブラシの中には、室温環境下で歪んだ氷様の水の状態が存在することが明らかとなりました。この歪みの程度やその歪みが生まれる原因の解明は今後の課題です。

今回明らかとなった、高分子電解質ブラシ中の水は、ナノ領域に閉じ込められたことによる現象と言えるようです。ナノ領域に閉じ込められた水の性質は、生体細胞内の機能を議論する上でも、注目が集まっています。

SECTION 09
機能水

海水、雨水、水道水、蒸留水、ミネラルウォーター等々と、水にはたくさんの種類があります。ポリウォーターも、この様な水の一種とみて良いでしょう。

そのような水の中に一般に機能水と呼ばれる一群の水があります。中には眉唾のような水も混じっているようです。どのようにお感じになるかは読者の皆様にお任せすることにして、その一部を見てみましょう。

機能水の定義

機能水(functional water)とは、日本機能水学会の定義によれば、「人為的な処理によって再現性のある有用な機能を付与された水溶液の中で、処理と機能に関して科学的根拠が明らかにされたもの、及び明らかにされようとしているもの」とされています。つまり、科学的な裏付けが要求されているのです。仏壇や神棚に上げた「お水」だとか、祈祷師がお祓いをした「聖水」だとかは機能水とは呼ばれないことになります。

効能書きには専用の装置によって作られるとされていても、実態は不明なものもあります。中には非科学的な商品もあり、表示上は単なる飲料水として販売されているものもあります。

機能水を評価するキーワードは、物性（性状）、有効性、安全性です。これらを踏まえて様々な機能水といわれるものを整理すると次のようになります。

公認されているもの

公認されている機能水の主な物を見てみましょう。

❶アルカリイオン水

アルカリイオン整水器により生成されるpH9～10の飲用電解水です。継続飲用で胃腸症状改善効果のあることが認められています。

❷ 強アルカリ性電解水

強酸性電解水を作成する際、陰極側から生成されるｐＨ10・5～11・5の電解水です。油脂の乳化やタンパク質の分解など有機物汚れの除去に優れています。

❸ 酸性電解水（次亜塩素酸水）

塩化ナトリウム水や塩酸水を電気分解することで陽極側にできるｐＨ6・5以下の電解水を総称して酸性電解水（次亜塩素酸水）と呼びます。

広範な病原細菌（ＭＲＳＡなどの薬剤耐性菌や食中毒菌を含む）やウイルス（インフルエンザウイルスやノロウイルスなど）に強い殺菌・不活化活性を示します。

❹ 強酸性電解水

塩化ナトリウム水を電気分解することで生成されるｐＨ2・2～2・7の電解水です。2002年に強酸性次亜塩素酸水という名称で食品添加物に指定されました。

❺弱酸性電解水

塩化ナトリウム水を電気分解することで生成されるｐＨ２・７～５・０の電解水で、２０１２年に弱酸性次亜塩素酸水という名称で食品添加物に指定されました。

❻超臨界水

超臨界水は水の臨界温度（３７４℃）以上、臨界圧力（22・１ＭＰａ）以上の高温高圧の濃い水蒸気です。水が超臨界状態になると、加水分解や酸化能力が高くなるので公害物質のＰＣＢの分解に役立っています。また反応溶媒としての効果が大きくなるので有機物の抽出や有機反応の溶媒に使われ、有機廃棄物が環境に出るのを防ぐ働きをしています。

研究途上のもの

未だ確定的な証拠は無いが、近い将来証拠を提示できそうなものです。

❶マイクロバブル水

加圧溶解(加圧減圧)法または気液二相流旋回法などによって、水中で直径50μm以下のマイクロバブルを発生させた状態の水です。通常の気泡は水中を上昇して表面で破裂して消えますが、マイクロバブルは水中で縮小しながら最終的に溶解します。

❷ファインバブル水・ナノバブル水

電解質の入った水中でマイクロバブルを発生させ、発生させたマイクロバブルを強制的に圧壊させた状態の水です。ナノバブルは極めて長期間にわたって安定して存在します。微細な気泡が液体中に安定的に溶存するファインバブルは、生育促進、洗浄、殺菌、機能封入など固有の新機能を発現し、広範囲の産業応用が期待されています。

科学的証拠が不十分なもの

よく知られたのはπウォーターでしょう。どこかで聞かれたことがあるのではないでしょうか?

❶ πウォーター

πウォーターのπには何の意味も無いということです。この水は1964年に農学の研究者が、花の開花現象を調べているうちに発見した水と言われています。科学的な特徴は純粋な水ではなく、極めて低濃度(2×10^{-12}mol/L)の鉄イオン、Fe^{2+}、Fe^{3+}を含んでいることです。濃度はこれ以下でも以上でもいけないと言うことです。

この水は「生命のお水」と言われ、健康からダイエット、美容にまでおよそ生命体である人間に惹起する全ての障害に効果があると言われていますが、その多くはπウォーターの販売会社の言う、いわば宣伝文句と思われることであり、発見者の研究者が言っていることではありませんので、ここでは言及しないことにします。

SECTION 10

一次元水

氷の結晶中では水分子は周囲の4個の分子と水素結合で結合し、整然として美しい三次元の構造を保っています。これはダイヤモンドの結晶と同じ形のものです。氷が硬いのはこのような結晶構造に由来するものです。

氷と水の三次元構造

この構造は液体の水でも保たれています。ただしそれは部分的にであり、氷の結晶構造が細かく崩れて集まった物、それが液体の水なので

●氷の結晶構造

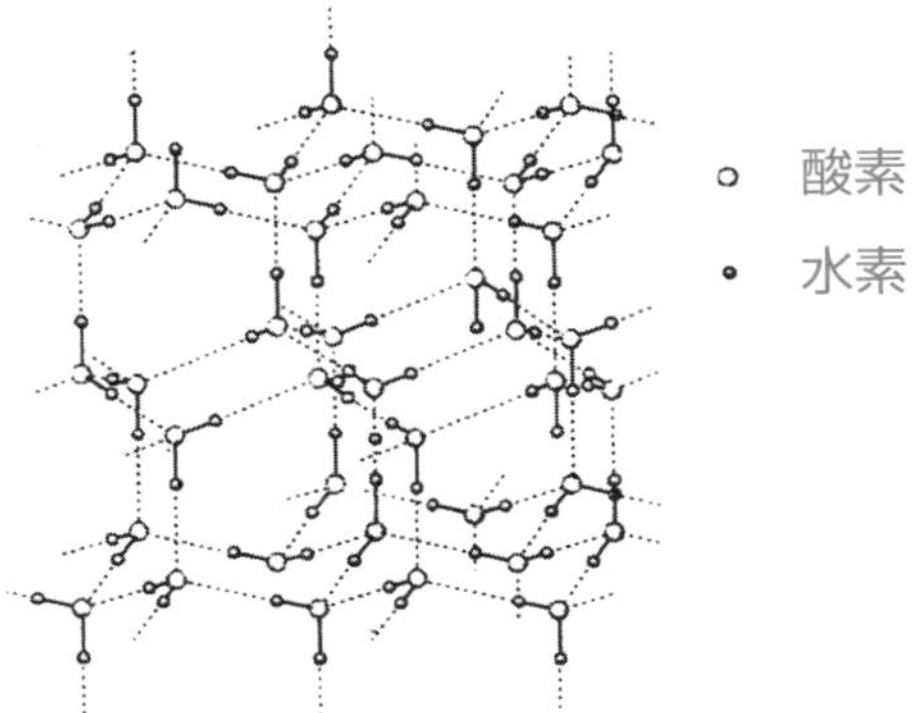

す。その意味で液体の水の構造も三次元構造と言うことが出来るでしょう。

この三次元構造が壊れることは無いのでしょうか？　あります。それは沸騰して気体の水蒸気になったときです。水蒸気の気体状態では、水分子は全ての水素結合を切断し、1個1個が独立した状態で存在しているものと考えられています。

水の一次元、二次元構造

水は固体や液体では三次元構造、気体では構造の無いバラバラ状態です。それでは一次元、二次元構造をとった水は存在しないのでしょうか？　一次元構造というのは水分子が1個ずつ直線上に並んだ構造です。二次元構造というのはたくさんの水分子が平面上に並んだ状態です。

二次元、三次元構造の水は見つかったことがありません。先に見たポリウォーターがもし本当だったら、糸のような一次元構造の水、あるいは細いリボン状の構造の二次元構造水だったのでしょうが、残念ながら間違いの報告でした。

超分子

ところが、一次元水の作製に成功した研究者がいたのです。何を隠そう、この私です。私は研究の一環として超分子の研究をしていました。超分子というのは、小さい単位分子が幾つも寄せ集まって高次の構造体になった物です。DNAが二重ラセン構造であることはよく知られています。これは2本の長いDNA分子が互いに縒り合わさってラセン構造になったものであり、超分子の典型です。

血液中にあって酸素運搬をしているヘモグロビンは鉄を囲んだ環状有機物でヘム分子をタンパク質分子が取り囲んだものでこれも超分子です。しかもヘモグロビンはこのような超分子が4個、整然と規則的に会合した、いわば超超分子というべきものなのです。

シャボン玉はセッケン分子が集まって膜になった、分子膜と言われるものです。これと類似の構造を持っているのが細胞膜です。

ですから生体は超分子の宝庫、いや、生体は超分子と高分子からできているという状態なのです。

私は炭素C、水素H、酸素O、窒素Nからなる何個かの環状化合物が結合して環状に並んだ複雑な構造の、ドーナツ型環状化合物を合成しました。ところがこのドーナツ、できると同時に、沢山、つまり無数個が積み重なってしまったのです。もちろん勝手にです。

この結果、無数個のドーナツが重なってできた長大なチューブ状の超分子が出来ました。私はこれを「超分子ナノホース」と名付けました。

ところがしらべてみると、どうもこのホースの中には水が入っているようなのです。合成反応の途中に使った水分子がホースの中に取り残されたようなのです。

そこで、分子の構造をまるで写真に撮る

●超分子ナノホースのイメージ

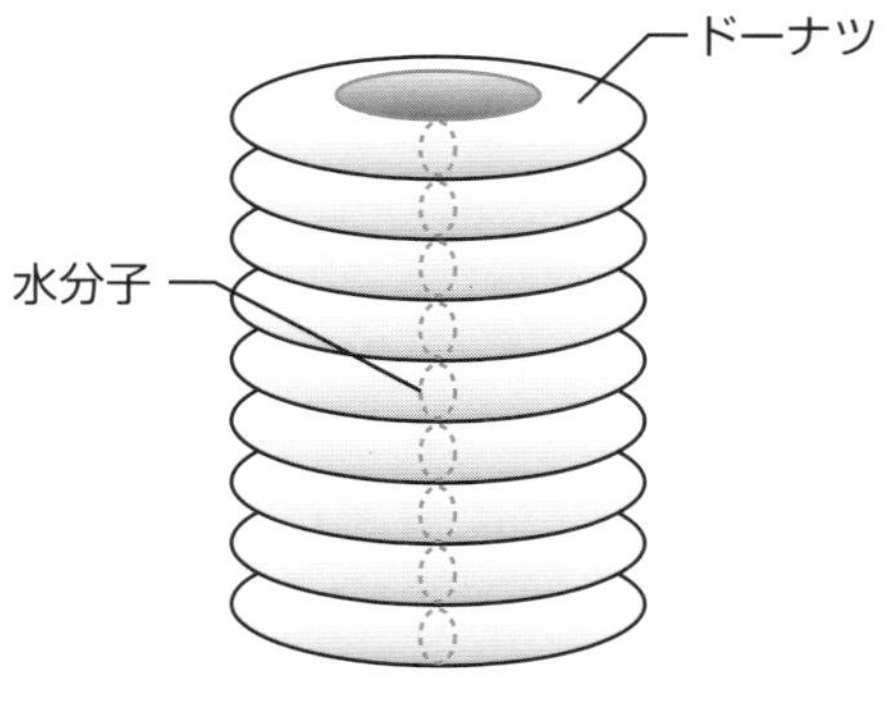

ように映し出すことのできる単結晶X線解析の手段を使ってこの分子の構造を明らかにしました。その結果、ドーナツ1個について1分子の水が入っていることがわかったのです。

いかがですか？　このドーナツの並んだ中には水分子が1個ずつ一列に並んで収まっているのです。これは一次元構造の水に他なりません。私は世界で初の一次元構造水の作製に成功したのです！

残念なのは、この一次元水をホースから引っ張り出す手段が無いと言うことです。折角の一次元水がドーナツに隠れて見えないのです。ということで、ノーベル賞は手元から飛び去ったようです。

いつの日にか、このX線写真のデータから、外側のドーナツのデータだけを消去する技術が実現したら、一次元水はその神々しい姿を見せてくれることでしょう。

SECTION 11

水成ガソリン事件

水の分子式はH_2Oで、水素Hと酸素Oだけからできています。石油の分子式はC_nH_{2n+2}で炭素Cと水素からできています。どう間違っても水が石油になるはずは無いのですが、それでも騙す人と騙される人が現れるのが現実の社会というものなのでしょう。水がガソリンに変化するという「あり得ないウソ」をついて一国の指導者たちを騙した事件がありました。事件をドキュメント風に見てみましょう。

日本海軍燃料廠

廠《しょう》は昔の官庁の一分野であり、今で言えば省か庁にあたるものと思って下さい。海軍燃料廠は海軍で使う燃料を一手に引き受けている部署です。当然スタッフは化学者集団です。

その燃料廠へ「水から石油がとれたので、その実験をデモンストレーションさせてください」と言ってきた男がいました。本多と名乗りました。いわば水成ガソリンです。もちろん水から石油をとることは、不可能なことですが、廠長はこのデモンストレーションを許可しました。しかし、水から石油などできるはずがなく、男は実験途中に病気と称して、実験を投げだして帰ってしまいました。

首相近辺

ところがその男が、同じ触れ込みで東京に現われて、時の首相近衛文麿や、海軍の首脳部を手玉にとったのです。

閣議のあとで、近衛総理が「僕のところの井戸水は大変なものだよ。あの水がガソリンになるそうだ」と言い、海相に「調べてみたら」と言ったそうです。そう言われた海相は軍需局長に調べて見ろと言いましたが、軍需局では詐欺行為であることを熟知していたので取り上げるべきではないと結論しました。

するとこの男は話を海軍航空本部に持ちこんだのです。この話を真に受けた航空本部長は、上層部に働きかけて航空本部地下室で実験することになりました。ものものしく振舞う本多らの実験は昼夜3日間にわたり、立会人達の疲労が甚しくなった頃「成功した」と称し石油入りの瓶が取り出されました。

詐欺行為判明

しかし、立ち会った委員たちは詐欺の可能性があると思い、予め実験用ガラス瓶の特徴を控え、すべて番号を付しておいたため、当該瓶は実験の途中に持ちこまれたものであることが判明し、本多は海軍軍務局によって警察に引渡され幕切れになったのでした。

この詐欺行為が行われる以前にも、この本多という詐欺師は、海軍航空本部へ「水からとれたガソリン」の見本と称する油の瓶を持ちこんでいたことがわかりました。

それを受けて航空本部では「海軍軍令部と両者立会の下に実験をして、確かに水が石油になる事を認めた。就いては当時の製品の見本を送る故、研究してもらいたい」と海軍燃料廠研究部へ、見本に依頼文をつけて送ってきたのです。

念のため分析してみると実は海軍お墨付きの潤闊油であることがわかりました。

被害者の心理

このことは航空本部関係者が全く非科学的な空想を願望として抱いていたことを証明しています。このような空想的願望を多くの人が抱いているのを知っているからこそ、詐欺者の活躍の余地が存するのです。

関係したのは首相をはじめとした一国、一軍の統卒者、指導者たちです。たとえ化学の知識に乏しくとも、専門家の言に聴く耳を有するはずです。その様な国家の重鎮が詐欺師にこのようにやすやすと詐欺に乗じられたのは、彼らが石油枯渇症状的心理から強い空想的願望を抱き一種の異常心理の虜になっていたせいではないのでしょうか？

富士山麓石油井戸試掘詐欺事件

同じ時期に更に大規模な詐欺事件が起っています。これは富士山麓石油井戸試掘詐欺事件として知られています。

「神のおつげで富士山麓に油田があって、掘れば必ず出油する」ということで、実業界の人物3人が主となり、資本金百万円以上を出し試掘していました。中々石油は出なかったのですが、昭和14年、突如石油が出たというので大騒ぎとなりました。総理大臣、閣僚が現われ、海軍燃料関係者の持ち帰ったサンプルを分析したところ、原油ではなく、掘さくポンプに用いた機械油が汲み上げられたことが判明し、これも明白な詐欺事件であることがわかったのでした。

事件の背景

2つの事件にはいくつかの共通点があります。前者は水から石油がとれる、後者は休火山富士山を掘れば石油がとれると、いずれも自然科学のイロハを無視した話をネタにして、政界や軍の指導層に対して働きかけ、彼らがある所まで詐欺師に乗せられたということです。

このような結果に陥った原因はいくつか考えられるでしょう。

1つは「化学に弱かった日本海軍」という事実が指摘されるべきです。しかし、その様な個人個人の学識の問題の他に、当時の石油資源涸渇状況下の異常な社会心理的現象であるのでは無いでしょうか?

まず詐欺師の口車に乗せられた人々は高等教育を受け、判断力にも優れた指導層です。平常時なら化学、地質学の専門家の言葉を待ってから判断するだけの見識を持っているはずです。しかしこの時期には甚だしい石油資源涸渇状況のため「石油への渇き」が指導層の心理に潜んでいたのです。

同様な心理状況は多くの人々の共通心理になっていたはずです。たとえ空想の中にでも、石油資源が出現してほしいとの願望が社会の間に広まっていたのではないでしょうか?

時代、状況は変わったと言え、この様な状況がいつまた起こらないとも限りません。50年足らず前には石油危機が叫ばれ、石油製品の枯渇が問題になりました。今の若い方々には想像もできないでしょうが、全てのデパートのトイレからトイレットペーパーが無くなりました。お客さんが持って帰ったのです。

80年前に日本人は「1億総火の玉」となって「撃ちてし止まん」と言って「現人神《あらひとがみ》天皇」に殉じることを肯《がえ》んじた(賛成した)のです。

二度とあってはならないことですが、その様な時に最も利用されやすいのが科学であると言うことは心に留めておかなければならないことでしょう。

Chapter.3
伝承の知恵と迷信

SECTION 12

伝承の知識

人類の歴史は膨大な長さを持っています。類人猿の頃から数えたら数百万年に遡るようですが、クロマニョン人程度に限定しても2～3万年には遡るようです。日本人という狭い範囲に限定しても土器を焼いた縄文時代で紀元前1万4000年、稲作の始まった弥生時代で紀元前4世紀、巨大古墳を作るようになった古墳時代が紀元3世紀頃と言われています。

つまり、日本人の文化は1万5000年に及ぶ長い時代を経ているのです。その間に日本人の間には経験から抽出した膨大な知識が蓄積されました。そのような知識は民間伝承、あるいは先祖代々の知恵、という形で私たちの間に伝えられてきたことでしょう。

この項目では、人類が科学的な根拠も知らないままに経験と勘だけを頼りに開発、洗練させた知恵のうち、現代科学の目から見ても肯定できるものをいくつか見てみましょう。

製鉄法

これらの伝承知識の中には、民族存続のために欠かせない知識として大切に保存、洗練されてきたものがあります。その様なものの1つとして製鉄が挙げられます。

❶古代の製鉄法

製鉄の技術が発見されたのは紀元前11世紀頃に中央アジアのヒッタイト民族によるものと言われていますが、実はその遥か昔に人類は鉄を使っていたのではないかとの説もあります。

というのは、鉄を得るにはいくつかの方法があるからです。最も手っ取り早いのは隕石に含まれる隕鉄を利用する方法です。しかし隕鉄を入手できるのはたまたまの幸運に恵まれた時に限られます。多くの場合には地中にある鉄鉱石から得る以外ありません。

鉄鉱石に含まれる鉄は酸化鉄FeOやFe_2O_3であり、ここから鉄を得るためには還元によって酸素を除かなければなりません。そのために利用するのは民族を問わず炭素Cであり、具体的には植物を燃やして得る木炭です。

現代のスウェーデン式製鉄法では、鉄鉱石を1500℃ほどの高温で融かしてコークスを還元剤として還元する方法です。この様な高温にするには、コークスなり木炭なりの高純度炭素が必要ですが、鉄鉱石の還元のためには必ずしも鉄鉱石を融かす必要はないと言うのです。

それは、鉄鉱石と植物を一緒に燃やしただけで鉄鉱石中の酸素は除かれると言うのです。ただし、このようにして得た鉄はボロボロスカスカの鉄屑とも言えない状態ですが、これを石の上に乗せて石で叩いて鍛造すると、小型の武器になるくらいの鉄塊が出来るというのです。現在でもこのような方法で製鉄している民族があると言います。

●酸化鉄の還元

$$2FeO + C \rightarrow 2Fe + CO_2$$

❷日本の伝統的製鉄法

日本にも独自の製鉄法がありました。それは蹈鞴《たたら》製鉄あるいは蹈鞴吹《たたらぶ》きと言われる方法で蹈鞴と言われる足踏み式の鞴《ふいご》を使うのです。良質の砂鉄と木炭を炉に入れ、蹈鞴で強力な風を送って炉を高温にし、鉄鉱石を融かして還元するのです。

現代のスウェーデン式製鉄法で得られる鉄は炭素を数パーセント含んだ銑鉄あるいは鋳鉄であり、これは硬くてもろいので刃物や構造材に使うことはできません。この様な用途に使われるのは炭素分を1％以下に抑えた鋼です。銑鉄を鋼に換えるには銑鉄を反射炉あるいは転炉に入れて高熱にし、炭素を燃やさなければなりません。つまり、二段階で鉄鉱

●炭素含有量による鉄の分類

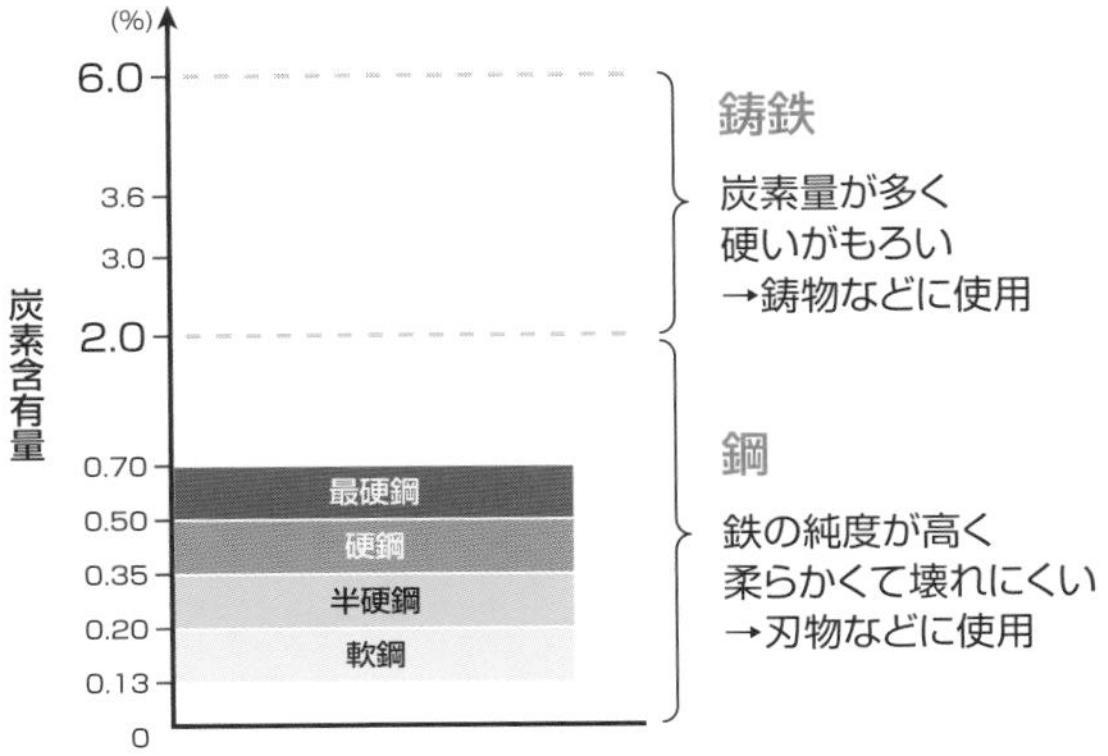

石を鋼にするのです。

　ところが日本式の蹈鞴製鉄で温度管理を厳重にすると、炭素分の少ない鋼を一段階で得ることが出来るのです。この様にして作った鋼のうち、良質な部分を玉鋼《たまはがね》と言い、日本刀に用いました。

　この技術は現在も伝承され、生きています。しかし、この製鉄法は年に数回限られた場所で行われるだけであり、出来た玉鋼は全て全国の刀匠に譲渡され、一般人が入手することはできません。

●日本刀

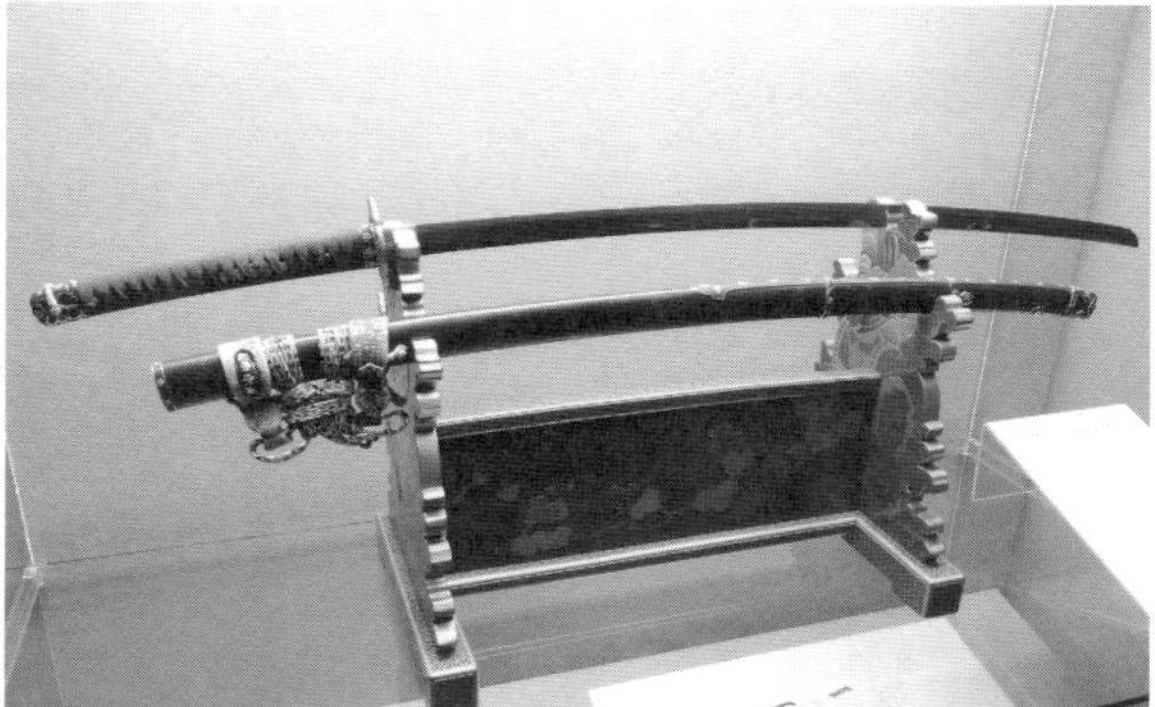

染色法

染色は高度に化学的な知識を必要とします。ハンカチに水彩絵の具で絵を描いても、洗えば大概落ちてしまいます。これでは染めたとは言えません。染色は布地に色素を、洗っても落ちない程度に堅牢に付着させる必要があるのです。

その様な方法として日本の奄美大島に伝わる大島紬《おおしまつむぎ》に使われる泥染《どろぞ》めがあります。これは島に自生する車輪梅《しゃりんばい》という植物の枝を煮て染料を作ります。この染液に絹地（紬）を漬けて黄色い色を付けると、そのまま布地を裏の田んぼに持って行き、その泥の中に埋めて足で踏むのです。

●車輪梅《しゃりんばい》

その布をまた染液に漬け、また泥に漬け、という動作を何十回も繰り返します。すると、黄色だった布が独特の風合い持った黒色に変化し、しかも堅牢で、洗濯で落ちることも無くなります。

これは田んぼの泥の中に入っていた鉄イオンの働きを利用しているのです。車輪梅の染料に入っていたタンニンが鉄イオンと化合して黒い不溶性の色素に変わったのです。

この様な知識や説明は現代化学だから出来るのであり、江戸時代よりさらに昔の人たちがこのようなことを知っていたはずはありません。しかし、試行錯誤と勘と伝承によって開発され、洗練されて現在に至っているのです。

フグ料理

フグは美味しい魚ですが、困るのは猛毒をもっているということです。現在、私たちはフグを食べたくなったら、フグの専門店に行って食べます。専門店にはフグの調理免許を持った板前さんがおり、安全なフグ料理を作ってくれるからです。

板前さんはもとより、私たちも現在ではトラフグのどの部分に毒があり、どの部分なら安全に食べることが出来るかを知っています。しかし、昔の人はその様なことを知らなかったでしょう。旨いと思って食べた人の何人かは、毒に当たって命を落としたことでしょう。

現在のように、どこに毒があるかを正確に知ることが出来るようになるまでに、一体どれだけの人が命を落としたことでしょう。この様な知識は残念ながら試行錯誤で確認する以外ありません。必ず、かなりの人命を犠牲にしなければ得られない知識なのです。

同じことは毒草、毒キノコ、有毒鉱物など、全ての毒物に対しても言うことができます。現代科学や医学がいうことが出来るのは、毒の反応機構だけです。

どのキノコが毒キノコで、どのキノコが食用キノコなのかは、伝承による以外ありません。人間をモルモットにして有毒性を判別することは許されないことです。

●フグ

SECTION 13

先祖代々の知恵

日常生活を円滑に行うためにはたくさんの知識、知恵を必要とします。その様な知識に「おばあちゃんの知恵」といわれるものがあります。若い人からは時に迷信などと馬鹿にされることもありますが、中には有用な知恵もあります。

アクヌキ

山菜を食べるにはアクヌキをする必要があります。アクヌキというのは植物を燃やして出来る灰を水に溶かした灰汁《あく》に植物を一昼夜等の適当な時間漬けておくことです。

なぜそのような面倒くさいことをしなければならないのでしょう？　アクヌキには高度の化学的知識が詰まっています。例えば良く知られた山菜のワラビにはプタキロサイトという成分が含まれています。これは非常な有毒成分です。

山に放牧された牛が誤ってワラビを食べると血尿を排出して倒れると言います。私たちも同じ目に遭うかもしれません。それだけではありません。プタキロサイトは強い発ガン性を持っています。運良く一過性の毒はクリアしたとしても、それ以降いつガンが発症するかもしれないという思いをしていなければなりません。

●ワラビのアクヌキ

しかし、私たちは平気で美味しくワラビを食べます。それで何の問題も起きることはありません。なぜでしょう？　それはアクヌキのせいなのです。灰は植物の燃え残りです。植物の構成成分と言うと、デンプン、セルロースなどの炭素C、水素H、酸素Oからできた炭水化物を思い出します。しかしこれらの元素は燃えれば二酸化炭素

CO_2と水H_2Oになり、揮発して無くなります。

つまり、植物を燃やしたら何も残らないはずです。しかし実際には必ず灰が残ります。灰って何でしょう？　植物はミネラルを豊富に含みます。ミネラルの大部分は金属などの無機物です。植物の三大栄養素は窒素N、リンP、カリウムKです。灰というのはこのよう無機物の酸化物なのです。

カリウムは燃えると酸化カリウムK_2Oを経て炭酸カリウムK_2CO_3になります。これを水に溶かすと水酸化カリウムKOHが生成します。水酸化カリウムは最も強力な塩基（アルカリ）の一つです。

つまり、ワラビを灰汁に漬けると、灰汁のアルカリ性成分によって毒物のプタキロサイドが加水分解されて無毒になるのです。おばあちゃんの知恵はこれだけの内容をもっていたのです。「アクヌキなんて迷信だ」などと言って、山から採ってきたままのワラビに醤油を掛けて食べていたら大変なことになっていたのです。

フグの卵巣・毒キノコ

フグは有毒な部分を除いた無毒な部分だけを食べます。しかし、人間は時に毒物とわかっていても食べることがあります。

そのようなものに毒キノコがあります。キノコは本当に危険です。売られているキノコ以外は食べない方が無難です。売られているキノコにすら毒キノコが混じっていることがあるのはテレビなどのニュースで時折り、聞くことがある通りです。

山で美味しそうなキノコを見つけ、土地の人に、食べれるかどうかを尋ね、ＯＫが出たからと言っても安易に食べてはいけません。調理法が特殊な場合があります。よく行われるのは毒キノコを塩漬けにして半年ほど置くのです。翌春になってから塩出しをして煮て食べれば大丈夫ということです。毒抜きのメカニズムは不明ですが、多分、ワラビと同じような加水分解でしょう。

能登半島地方ではもっと危険なものを食べます。トラフグの卵巣のぬか漬けです。トラフグの卵巣は猛毒中の猛毒です。これを食べるのです。もちろん特別の調理法があります。卵巣を塩漬けして1年ほど置いた後、塩出しをします。これを今度はぬか漬けにしてまた1年ほど置きます。するとフグ毒が無毒化されて、食べても大丈夫になるのです。

かつては能登地方の家庭料理でしたが、今では無毒なことが認められて駅のキオスクなどでも売っています。興味のある方はトライしてみてください。

虫よけヨモギ

最近、この様な事をする家庭は無いと思いますが、明治時代までは、夏になると蚊遣火《かやりび》といって、豚の形をした陶器の入れ物に草を入れて燃やして蚊除けに使ったと言います。草は何でも良いわけではなく、除虫菊やヨモギだったと言います。

除虫菊にはピレトリン、ヨモギにはシネオールという成分が含まれ、共に蚊が嫌いな成分です。ピレトリンは現在化学合成され、蚊取り線香として使われています。

●除虫菊

燃やしてしまったら、有効成分も燃えてしまって二酸化炭素と水になってしまうのではないか、と思われるかもしれませんが、そうではありません。燃えている箇所の近くは高熱になり、有効成分が気体となって揮発します。ですから、蚊取り線香で赤くなっている部分は既にピレトリンが抜けてしまった部分になるのです。タバコの原理といったらわかりやすいでしょうか？

打ち水

夏の打ち水は目に涼しいだけでなく、体感としても涼しくなります、なぜでしょう？これは水の気化熱のせいです。液体の水は気体の水蒸気になって蒸発しますが、この時に1gの水は周囲から590カロリーほどの熱を奪います。そのために、打ち水をすると周囲が熱を奪われて温度低下し、涼しく感じるのです。

これと反対なのが発熱線維です。これは汗として出た気体の水蒸気を液体の水に戻すことによって、水1gあたり590カロリーの熱を発散させて体を温めているのです。

SECTION 14

日常生活の迷信

ここまでは、大昔から伝わる、いわゆる伝承の知恵のうち、科学的に根拠があり、現在の目でも正しいものとして映り、かつ現在も使われているものを取り上げてきました。

しかし、伝承の知恵の中には科学的に何の根拠も無く、またその様な知識が流布されると間違った知識が蔓延し、悪くすると多くの人々に迷惑のかかるようなものもあります。この様な言い伝えを一般に迷信と言います。ここではどのような迷信があるかを、日常生活に範囲を限定してみてみましょう。

幸福を予言する物

特定の行為を行うと良いことがある、幸せになるというものです。特定の行為を奨励する意味があるのでしょう。

- トイレを綺麗にすると美人が生まれる？
- 火事の夢を見ると良いことがある？
- 流れ星が流れている間に願い事を三回唱えると願いがかなう？

瞬間的に見えて消える流れ星の間に三回も唱えることが出来ると言うのは非常に強い願いです。その様な願いを持って努力したら、きっとその願いは叶うでしょう。

- 茶柱が立つと縁起が良い？
- 二重の虹を見ると幸運になる？

不幸を予言する物

特定の行為をしないように戒める効果があるのでしょう。最後の４つは行儀を諭すものでしょう。

・嘘をつくと閻魔さまに舌をぬかれる?
・嘘をつくと地獄に落ちる?
・米をこぼすと目が見えなくなる?
・茶碗を叩くと餓鬼が集まる?
・食べてすぐに寝ると牛になる?
・子供が火遊びをするとおねしょをする?
・食事中に泣くと火が出る?

意味不明なもの

迷信中の迷信のようなものです。まったく意味はありません。

・櫛をまたぐと嫁に行けない?
・カカア天下には男の子、亭主関白には女の子?
・大晦日に早く寝ると老人になる?

- 風邪は人にうつすと治る？
- くしゃみをすると誰かに噂されている？
- 腹帯は戌の日に締める？
- 霊柩車の前では親指を隠す？
- 鏡が割れると不幸が起きる？
- くしゃみは悪事の前兆？
- 数字の縁起

　7とか8は縁起は良くて、4とか9とか13は縁起が悪いとか言います。

- 表札を釘打ちすると出世しない？
- ひな人形の片づけが悪いと晩婚になる？
- 丙午《ひのえうま》の年に生まれた女性は家族を苦しめる？

　江戸時代、恋のために放火して処刑された女性「八百屋お七」が丙午の生まれだったことから出た迷信です。最近の丙午であった1966年には、前年に比べて出生率が25％低下したと言います。迷信が生きていたということでしょう。

SECTION 15

体に関した迷信

身体的特徴、あるいは身体変化に関した迷信です。なかにはそれなりの根拠があるものもあるようです。

・親不孝をするとささくれが出来る？

・つむじを押すと下痢になる？

つむじには針灸でいう百会というツボがあり、肛門を刺激するそうです。もしかしたらその効果で下痢になるかも？

・つむじを押すと背が縮む？

・耳たぶが大きいと金持ちになる？

・手が冷たい人は心が温かい？

- **へその胡麻を取るとお腹が痛くなる？**

腹膜を刺激して腹痛が起こる可能性があります。

- **下の歯は屋根の上、上の歯は縁の下へ投げる？**

それぞれの永久歯が、投げた方向へ伸びるようにとの願いがあると言いますが、全く根拠のない話です。

- **血液型による性格判定**

生死に関するもの

いろいろありますが、およそ根拠のあるものはありません。

- **カラスが鳴くと人が死ぬ？**
- **北枕で寝てはいけない？**

北枕で寝ると、朝の明るい窓が目に入り、早く目が覚めてしまいます。寝不足になって健康に良くないと言うことはあるでしょう。

・靴下を履いて寝ると親の死に目に会えない？

昔は通夜に出る時には新しい靴下を履いて出たそうです。その辺の名残かもしれません。

・妊娠中は葬式に出るな？

・三人で写真に写ると真ん中の人が早く死ぬ？

SECTION 16

動植物の迷信

動物も植物も人間の意思と関係なく動きます。そのため、尺度として考えたかったのでしょう。ほとんどは意味の無いものです。

- 朝のクモは縁起が良い？
- 夜のクモは縁起が悪い？
- 白いヘビは縁起が良い？
- ヘビの抜け殻を財布に入れるとお金が溜まる？
- イノシシの毛を財布に入れるとお金が溜まる？

イノシシの毛は根元から数本に分かれて枝毛になっています。そのため、増えるというイメージができたのでしょう。

・熊に出会ったら死んだふりをする？
イソップ童話の「熊と旅人」から生まれた誤解のようです。

・黒猫が前を横切ると縁起が悪い？
・ツバメが巣を作る家には幸運が来る？
・ネズミが居る家には災難が来ない？
・夜口笛を吹くとヘビが来る？
・四葉のクローバーを見つけると幸せになる？
・樫の木は縁起が良い？
・ヒイラギは災難を防ぐ？
・ビワの木を植えると病人が出る？
・柚子の木は植えた人が死なないと実がならない？
ビワや柚子は植えてから実がなるまで何年もかかることがあることから、このような言い伝えができたようです。

●四葉のクローバー

SECTION 17

天候の迷信

農耕民族である日本人にとって、天候は重要なファクターでした。それだけに、言い伝えには科学的根拠のあるものがたくさんあります。

気象変化に基づくもの

・遠くの音が良く聞こえると雨？

これは上空の気温が地上付近より高くなっているためです。音は気温が上昇するほど速く、また気温の低い方へ屈折して伝わる性質を持っています。したがって、普通なら上空に散ってしまう音も、上空の気温が高いと地上の方に曲げられて、遠くまで聞こえるようになります。この様な時は上空が曇っていて湿度も高く、風は穏やかです。おおむね低気圧の中心に近いと思われ、やがて雨になる確率は高いでしょう。

・朝焼けは雨、夕焼けは晴れ？

日本の天気は、西から東へと変わっていきます。したがって「朝焼」は東の空が晴れていて、西から雨になる可能性が高いです。反対に「夕焼け」は西の空が晴れていて、翌日も晴れる可能性が高いです。

・朝霧、朝露は晴れ？

朝霧、朝露が起きるのは風がなく、雲が無くて放射冷却（地上の熱が上へにげること）がおきた時です。この様な時は一日晴れることになります。

・星が瞬くと風が強くなる？

これは上空で強い風が吹いて空気の密度が変動し、星の光が屈折するため、星がまたたいて見えるのです。上空の風はやがて下に降りて、周囲でも風が強くなります。

・山が笠をかぶると雨が降る？

山の近くで上昇気流が起こり、水分を多く含んだ空気が上昇して冷えると、雲の傘

(笠雲)ができます。この雲はやがて雨に変わります。

・春の入道雲はヒョウが降る?

入道雲、積乱雲の中には大粒の雨や氷で一杯です。春は上空の気温が高くないので、この氷粒がそのまま落下してヒョウになる確率が大きくなります。

・大雪の年は豊作?

雪が多い年は雪解けの水が豊富にあるため、干害の心配がなく豊作が見込まれます。

●富士山と笠雲

動物に基づくもの

・カエルが鳴くと雨？

最近の研究によると、カエルが鳴かなかった時、翌日に雨が降った割合は11％、よく鳴いた日の翌日に雨が降った割合は35％だったそうです。

大正時代の資料には、カエルが鳴き出してから30時間以内に雨が降り出した割合は、50％から70％だったと書かれているそうです。昔のカエルたちの方が言い伝えに忠実だったことがわかります。素朴だったのでしょう。

カエルは気圧が下がった時にも鳴くと言われていますから、湿度と気圧の両方を感じ取るカエルの予報は当たるかもしれません。

・ネコが顔を洗うと雨？

雨雲が近づいて湿気が多くなると、ネコは大切なヒゲに張りがなくなり、狩りの成功率が低くなるのでヒゲを整えるために念入りに顔を洗うと言われます。

・ツバメが低く飛ぶと雨が降る？

ツバメの餌になる虫は湿度が上昇すると羽が重くなって高く飛べないため、それを追うツバメも低く飛びます。

・アリが穴をふさぐと雨？

湿度が高くなって雨が降りやすくなると、アリは巣の中に雨水が入らないように、穴にふたをするようです。

・池の魚が水面でパクパクすると雨？

晴れの日が続くと、酸素を含んだ雨水が池に流れてきません。そのため池の酸素が不足して、魚は水面から顔を出してパクパクするのです。

晴れの日がしばらく続いたので、もうすぐ雨が降るだろうという、深慮遠謀の意味だそうです。

その他

- テルテル坊主を逆さにつるすと雨が降る？
- 桜の色が薄い年はいつまでも寒い？
- ご飯粒が茶椀につきやすいと晴れ？
- カミナリが鳴ったらへそを隠せ？

カミナリの後には寒冷前線が通過し、気温が下がることが多いです。お腹を冷やさないようにしましょう。

●カミナリ

Chapter.4
食生活の迷信

SECTION 18

毒キノコの判定

私たちは毒と共存しています。田園や山がいかに自然にあふれて平和そうに見えようと、そこには毒物がわんさかといます。ハチやマムシ等だけではありません。植物の多くは毒成分を含んでいます。軟らかそうで美味しそうだからと言って持ち帰って食べると、どんな目にあうかわかりません。

毎年、春には山菜によって、秋にはキノコによって命を落とす人が出てきます。花壇に植えたスイセンを、ニラと間違えて食べて命を落とす人もいます。毒物なのか、毒性は無いのか、それを判定するのは大切な技術です。

特に今のようにスーパーなど無く、食材を自分で自然から得ていた昔の人にとっては、食物の毒性の判定は重要な技術でした。ところがここにも、余計な迷信が顔を出すのです。

毒キノコ

日本に在るキノコは4000種類以上と言われ、そのうち名前のついているものは1/3、毒キノコも1/3と言われています。いかに多くの毒キノコがあるか想像がつきます。

そのため、このキノコの毒性を見極めるための迷信が発達しました。最初に言っておきますが、以下の判定法は全て迷信で間違いですので、絶対に信じてはいけません。そもそもキノコの毒性の判定法など、存在しないのです。

よく言われる迷信の判定法は次のようなものです。

・毒キノコは毒々しい色をしている?

キノコの色と毒は無関係です。例えば鮮やかな赤い色のタマゴタケは美味しくて有名なキノコです。

・柄が縦にさけるキノコは食べられる?

ほとんどの毒キノコは縦に裂けます。逆にハツタケのように、食べられるもので裂けないものもあります。

・毒キノコでもナスと煮ると中毒しない？

ナスにキノコの毒を消す成分はありません。また病原菌と違って、沸騰するお湯程度の熱で分解する毒はほとんどありません。

・塩漬けにすればどんな毒キノコでも食べられる？

塩漬けして水にさらしても、残る毒はあります。実際、信州などでは塩蔵キノコによる中毒もおこっているようです。

●ハツタケ

・かじってみて変な味がしなければ大丈夫?

テングタケ類は致死的なものでも、ドクツルタケのように食べたときには大変美味だと感じるものがあるようです。

・ナメクジや虫が食べているキノコは食べられる?

そんなことはありません。猛毒のキノコも虫は食べます。

・銀のカンザシを挿してカンザシが黒くならなければ食べられる?

銀は硫黄にあうと黒変しますが、キノコの毒性と硫黄分は関係ありません。

●ドクツルタケ

SECTION 19

銀による毒性の判定

銀Agは硫黄Sとの反応性が高く、硫黄化合物と出会うと反応して黒い硫化銀Ag_2Sになります。例えば、銀製のリングやネックレスをして温泉地に行くと、そこで発生している微量の硫化水素H_2Sと反応して黒くなってしまいます。

硫化銀

硫黄化合物は普通の空気中にも硫黄酸化物SOxとして存在するので、銀製品は

●銀製品

室内に放置すると硫化して黒くなります。そのため、現在の銀製品の多くはクロムCrなどでメッキして表面を覆っています。

銀のこのような性質を利用して飲食物の毒性を判定しようと言う試みは日本でもヨーロッパでも行われました。日本の場合はキノコの判定がよく知られており、その評価は前項で見た通り、迷信の域を出ないものでした。

ヨーロッパで銀が使われたのは猛毒元素、ヒ素Asの有無でした。ヒ素は無色、無味、無臭の猛毒元素です。1998年に起きた和歌山ヒ素カレー事件で有名になりましたが、歴史的には数百年に渡って暗殺の元素として知られた物です。

●銀と硫化水素の反応

$$Ag + H_2S \rightarrow AgS + H_2$$

ヒ素の歴史

ナポレオンが流刑先のセントヘレナ島で亡くなったのは胃ガンのせいでは無くてヒ素による暗殺だったと言うのはよく語られる噂です。日本の戦国時代にも暗殺は流通しましたが、用いられた毒の多くはヒ素化合物の亜ヒ酸(正確には三酸化二ヒ素、As_2O_3)であったと言われています。

ヨーロッパで亜ヒ酸による暗殺が横行したのはルネサンスたけなわの、ローマ法王アレクサンデル六世の時代と言われます。この法王はとんでもない人で、イタリアの資産家にイチャモンを付けては法王庁の牢獄に繋ぎ、家伝の毒薬、カンタレアを用いて暗殺したと言うのです。その後、その資産家の財産を没収してバチカン国の国有財産としたのです。ルネサンスの芸術家は全てアレクサンデル法王の庇護《ひご》を受けています。そのせいもあって、彼はバチカン王国中興の祖とさ

●スカラベ(フンコロガシ)

え言われているのですから、人の評価などあてにならないものです。

その法王が使った秘伝の毒物、カンタレアの成分は、毒虫スカラベを磨り潰してどうのこうのと言われていますが、スカラベは日本名フンコロガシと言われるように、動物のフンを転がして団子にし、そこに卵を産むコガネムシのような昆虫で無毒なことが知られています。結局カンタレアの正体は、ヒ素化合物であったと言われています。

銀の効用

ということで、暗殺を恐れたローマの資産家がすがったのが銀だったのです。銀はヒ素に出会ったら黒くなってその存在を知らせてくれる。ということでルネッサンス期の資産家は競って銀食器を揃えたと言います。

残念ながら、銀は硫黄に会えば黒くなりますが、ヒ素では黒くなりません。つまり、全ては迷信の域を出ないということです。では、銀は何の役にも立たなかったのかというとそうでもないようです。ヒ素は硫黄の仲間であり、ルネサンス時代の精製不十分なヒ素には硫黄が含まれていたと言います。つまり、ヒ素を混ぜた食料の中には不純物として硫黄が含まれ、銀がその硫黄と反応して黒く変色した可能性があると言うのです。

しかしそれは化学的な可能性です。現実にはそのような微量な硫黄と銀が反応して変色するのは、数日後、つまり被害者が亡くなってからの話でしょう。今さら法王に何を言っても通用する話ではありません。

ただ一つ気休めがあります。それは銀には凄い殺菌作用があると言うことです。つまり、バイキンがいっぱいの不衛生な水を出されても、多分、銀が殺菌して、まずまず無菌の水になっていた(かもしれない)という程度のことです。

SECTION 20

食べ合わせの迷信

何と何を一緒に食べるかを「食べ合わせ」と言います。この食べ合わせには健康に良くないのでやめるように、と言われている取り合わせがあります。どのようなものか見てみましょう。

昔からの伝承

一般に根拠は乏しいものの、中には幾分の根拠があるものもあるようです。

・鰻と梅干し

かつては鰻の脂っこさと梅干しの強い酸味が刺激し合い、消化不良を起こすとされました。ただし、実際はむしろ酸味が脂の消化を助けるため、味覚の面も含めて相性の良い食材です。実際は高級食材である鰻の食べすぎを避けるためとする説もあります。

・天ぷらと氷水、天ぷらとスイカ

水と油で消化に悪いとされました。実際、胃の負担が増加し、消化に支障をきたすことが確認されています。

・蟹と柿、蟹と氷水

体を冷やすとされました。実際に、蟹の身に体温を下げる効果があることが確認されています。柿の実も同様です。結果としてお腹を壊す可能性があります。

・鮎と牛蒡、浅蜊と松茸

旬が大幅にずれている例。冷蔵技術が未発達だった当時、時期外れの食品は傷んで食中毒の原因になったためではないかという説もあるります。

・蕎麦と田螺

ほとんど噛まずに食べる蕎麦と、硬く消化に悪い田螺《たにし》の組み合わせで、さらに消化を悪くするとされいます。

・蕎麦と茄子の漬け物

意味不明。

・おこわと河豚

高級食材の食べ過ぎ防止ということです。

・筍と黒砂糖

共に古くは高級食材であったことから、贅沢を戒めと思われます。

・胡桃と酒

クルミには血圧を上げる効果があるため、のぼせやすくなる可能性があります。

・胡瓜と蒟蒻、泥鰌と山芋、蛸と蕨、蛸と梅

意味不明。

現代的な食べ合わせ

現代の栄養学的・医学的知見に基づいていて、避けるべきとされている食物の組み合わせもあります。

・スイカとビール

両方ともほとんど水分ですが、利尿作用もあります。ビールの摂取が進みすぎ、急性アルコール中毒を引き起こす可能性があります。また、水分を摂っているつもりでも気づかないうちに脱水症状に陥っていて、水泳前や入浴前では水死の危険性もあります。

・お茶と鉄分（非ヘム鉄）を含む食品

お茶による食品中の鉄分(非ヘム鉄)の吸収阻害が起こります。食後に茶(特に緑茶)を摂取すると、食品中に含まれる非ヘム鉄は吸収を受けにくい形に酸化されてしまいます。鉄欠乏性貧血で悩む女性やダイエットによって鉄分の補給が十分でない人は、食後すぐに緑茶を飲むのは避けるべきとされます。

●ヘムbの構造

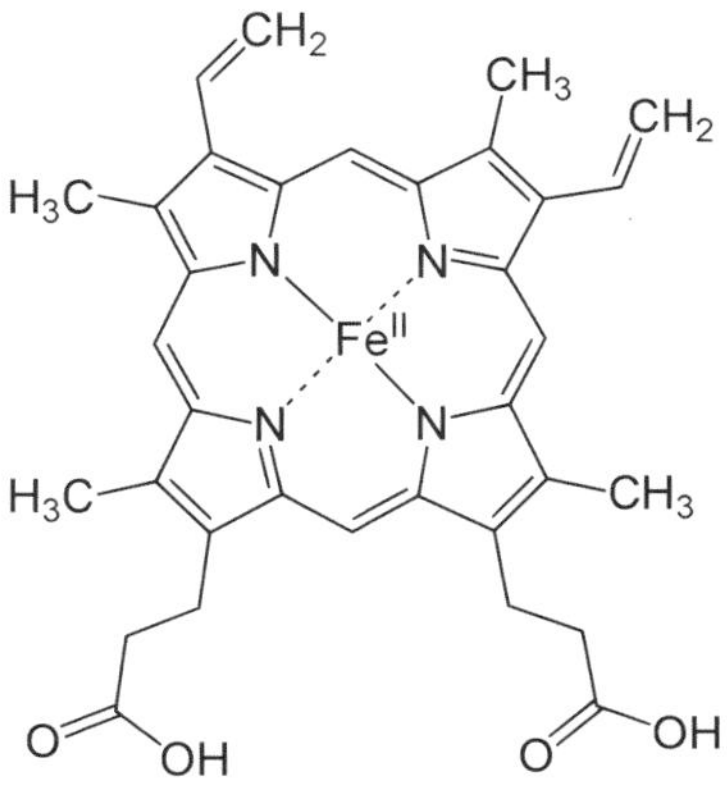

・ラムネ系食品と炭酸飲料

胃の中で急激な発泡が発生する事で食道から胃にかけて損傷する可能性があります。しかし実際には起こらないという検証データも示されており意見が分かれています。

SECTION 21

食卓の迷信

食物そのものでなく、食卓の礼儀等に関する迷信、言い伝えもあります。

・秋茄子は嫁に食わすな?

よく聞きますが意味のはっきりしない言い伝えです。一説には、秋茄子は体を冷やすから「大切」な嫁に食べさせるなというものです。もう一つは反対に、秋茄子は美味しいので「憎たらしい」嫁に食べさせるなというものです。

・牛乳を飲むと背が伸びる?

牛乳を飲めば体格がよくなります。背も伸びるでしょう。

・辛子は意地悪に練らせろ?

カラシナの種子には辛味のもととなるシニグリンという成分と、それを分解する酵素が含まれています。これらは乾燥した粉カラシ中では反応しませんが、水を加えることで反応して、辛味成分のアリルイソチオシアネートが生成されて辛くなります。つまり粉カラシに水を加え、強くかき混ぜて組織を破砕するほど、酵素とシニグリンが出会う度合いが高くなり、辛味成分が多く生成されます。意地悪で怒りっぽい人は力を入れてゴリゴリ練るので、鼻にツンとくるカラシが出来ると言うのです。

●シニグリン

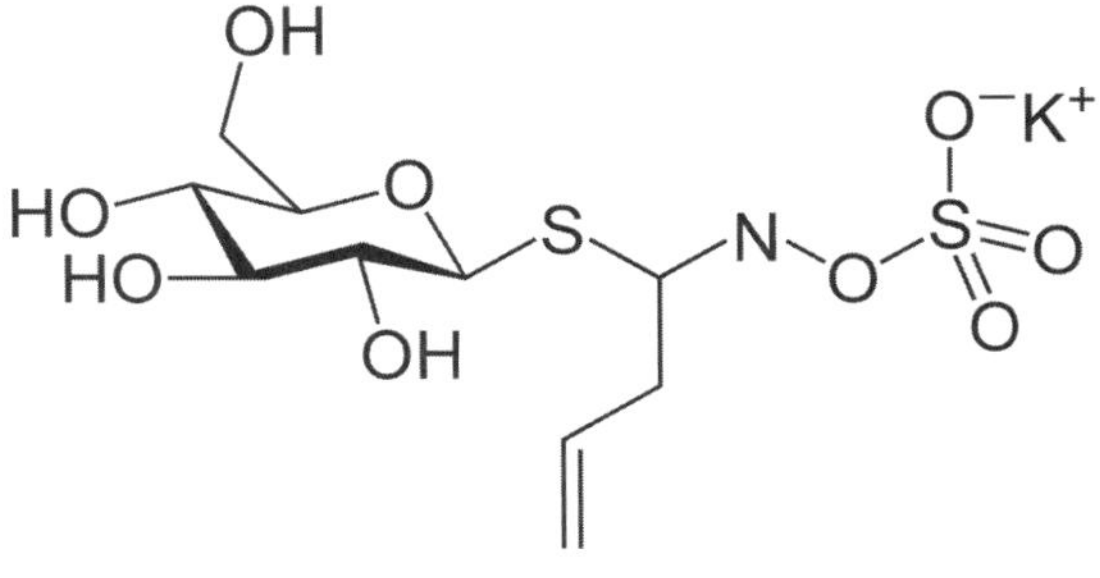

•スイカの種を飲むと盲腸になる?

いまどき、信じる方はいないでしょう。

・**酢を飲むと体が柔らかくなる？**

医学的な根拠はありません。

・**ワカメや昆布を食べると髪が増える？**

本当なら救われる人が多いでしょう。

・**黄身が二つある卵を食べると双子が生まれる？**

旦那さんが食べてもそうなるのでしょうか？　意味不明。

・**宵越しの茶は飲むな？**

これは、お茶に含まれているタンパク質が腐敗し、消化不良や下痢の原因になる可能性があるためと言われます。

Chapter.5
健康の迷信

SECTION 22

スポーツの迷信

スポーツは多くの人々が行っていますが、その姿勢には2つあります。1つは健康のために楽しんでやるという姿勢であり、もう1つは職業として勝敗をかけて戦うという姿勢です。

特に後者の場合には勝つためにはどのような努力をも惜しまないと言う精神が重要とされることが多く、不必要、場合によっては有害と思われる肉体鍛錬、あるいは根性論に代表される精神鍛錬を行うことがあるようです。その様な心身の鍛錬をいくつかを見てみましょう。

ウサギ跳び

ウサギ跳びというのは両手を後ろで組んでつま先立ちで膝を深く曲げ、その姿勢で前方に跳ぶ運動です。以前は代表的な基礎運動として、小学生から大人まで、スポーツに関与したほとんど全ての人々が行いました。きついことで知られた運動です。ところが、ウサギ跳びは科学的に検証するとほとんど効果がなく、反対に下肢に強すぎる負荷がかかり、障害がおきやすいことが明らかになりました。また、ウサギ跳びをしてから他の練習をすると下肢にケガをしやすいことも知られています。

ウサギ跳びは世界中で日本だけで行われている運動であり、この運動でおこりやすいケガには、腓骨の疲労骨折、半月板損傷、オスグッドシュラッター病（脛骨結節の剥離）などがあることが明らかになっています。

さすがに最近ではウサギ跳びを行うスポーツ団体はアマでもプロでも少なくなっているようです。

運動中に水を飲むな

今では運動中に水を飲むのは当然であり、マラソン選手が走行中に水を飲む姿はマラソンの見せ場の1つになっているほどです。ところが、ウサギ跳び全盛のころには、

「運動中は水を飲むな」という迷信がはびこっていました。この様な迷信の元になったのは、戦争中に歩兵が他国の領土内を徒歩で行軍中、異国の水を飲んで下痢症にかかり体力を消耗するのを防ぐために注意したからだと言います。

現在のスポーツ選手は試合中に機会さえあればボトルから水を飲んでいます。しかし、それでも試合後にドーピングテストのため尿をとろうとすると、1時間も2時間も出ない選手がいると言います。

のどが渇いてから飲むのでは遅く、渇いたと感じる前に定期的に飲むと効果があることが科学的に実証されています。

水分を摂ることには、次の効果などあります。

❶ 体温上昇をおくらせる
❷ 組織間液が酸性化するのを防ぐ
❸ スタミナが保てる

思春期前の児童に筋力トレーニング

思春期前の児童は、四肢の長い骨の伸びが盛んなのに腱や筋肉の伸びは遅れがちです。そのため、腱や筋肉が伸びきった状態にあります。

この様な状態できつい筋力トレーニングをすると、筋トレの負荷で腱や筋繊維の断裂、脛骨端の剥離骨折(オスグッドシュラッター病)が起こることがあります。専門的な測定によれば、筋力トレーニングによって筋横断面積は増加するが、単位面積当たりの筋力は増加しないことがわかっています。

筋肉トレーニングは限界までやる

柔道部の高校生で、腕立て伏せを100回近く行い、腕がふくらはぎより太く腫れ上がり、横紋筋融解の寸前だった例があります。部分的な過負荷により大量の乳酸蓄積が生じ、強い炎症を起こしたためです。

一度この様な症状になると、治癒した後も繊維化が生じ、もとの筋量にもどらない可能性もあります。筋トレは、最大筋力の30〜80%までを一定の回数するのが良いとされています。

野球選手は水泳をしてはいけない？

野球選手は肩を冷やすといけないと言われ、夏でも水泳は禁止された時代がありました。これは試合中の投手が、次のイニングまで肩を冷やさないようにするのと間違えたのではないでしょうか？

現在では、投手には試合後に炎症予防のため、肘を氷水に入れて冷却することが推奨されています。水泳は普段使わない部分を使い、水中で重力の束縛を脱して自由に動けるので精神的リラックスが得られます。

SECTION 23

ダイエットの迷信

今や国中を挙げてダイエットに励んでいるという状態です。太っているのは罪悪の様にみなされ、多くの方が体重を落とすことに懸命になっています。この様なダイエットにも迷信は忍び込んでいるようです。ダイエット法に潜む迷信を見てみましょう。

食事は小分けした方が良い？

食事は小分けにして回数を増やすと基礎代謝がよくなる。つまり、脂肪が燃焼しやすく太りにくい体質になるという説がありますが、これは必ずしも正しくありません。

人によっては、食事を小分けにすると食欲が抑えられて、結果的にダイエットに成功することもありますが、全く逆効果になることもあります。

つまり、ローカロリーの食事を小分けにすることによって「何回も食べられて満足」

と感じられる人にとっては、食事回数を増やすのは意味があります。しかし、高カロリーの食事をいくら小分けにしたところで、カロリーを減らせるわけがありません。太るのは止められません。

深夜の食事はデブのもと？

深夜に食事したからといって、必ずしも太るとはいえません。痩せるのは単純なことで、要するに「1日の摂取カロリーが消費カロリーを上回れば太り、逆に消費カロリーのほうが多ければ痩せる」ということだけです。

カロリーを摂取するのに時間は関係ないと言ってよいでしょう。

食事を制限すればダイエットは成功？

食事を制限すれば摂取カロリーは減少して、体重は減少します。しかし多くの場合、食事制限だけではダイエットに限界があります。つまり、食事制限のみでは、体重の

5%〜10%以上減量するのが難しいという調査があります。それ以上減量しようとすると健康に害がでます。

この程度の減量には成功しても、それ以降は努力のわりには体重が落ちないのです。そのため、ダイエットに嫌気がさして、結局リバウンドしてしまうケースが多くなります。ダイエットには食事制限だけでは不十分で、適度な運動を取り入れるなど生活スタイル全体を変えていく必要があります。

痩せるためには炭水化物を摂らない?

「ダイエットには、高タンパク質・低炭水化物の食事がいい」と多くの人が信じているようですが、これは必ずしも正しくありません。

たしかに、炭水化物は過剰に摂取すると、余分が脂肪として蓄積されるので肥満になります。ただしこれは、過剰摂取が悪いのであって、炭水化物が即、肥満につながるわけではありません。

特定の栄養素だけを目の敵にするのではなく、いろんな栄養素をバランスよく摂り、摂取カロリーに気を付けることが大切です。

運動さえすればいくら食べても大丈夫？

太るか痩せるかは、摂取カロリーと消費カロリーのどちらが多いかにかかっています。いくら運動したところで、そのあとに大量のカロリーを摂取したのでは運動の効果も水の泡です。特に陥りがちなミスは、運動したあとに、糖分たっぷりのスポーツドリンクをガブ飲みすることです。せっかくのカロリー消費が一瞬にして帳消しになります。

SECTION 24

ガンの迷信

今や国民の40％は一生の間に何らかのガンに罹るといわれる、いわばガン時代です。それだけに、ガンに関しての迷信的な知識、疑惑も広がっています。

ガンは他人にうつる？

通常は、ガンが他人にうつることはありません。唯一、ガンが人から人にうつるのは、臓器や組織移植の場合です。過去にガンに罹患したことがあるドナーから臓器や組織を移植された人は、将来、移植関連のガンを発症するリスクが高いかもしれません。

しかしそのリスクも非常に低いもので、臓器移植1万件のうち2件ほどです。それに、医師はガンの既往歴があるドナーの臓器や組織の使用は避けます。

しかし、胃ガンの原因の一つは細菌（ヘリコバクター・ピロリ）と考えられており、細菌は人から人へとうつりますから、その意味では伝染と言えるかもしれません。

ガンは手術や生検で広がる?

手術によってガンが身体の別の場所に広がる可能性は非常に低いです。生検や手術で腫瘍を取り除く際、ガン細胞が広がらないように細心の注意を払います。例えば、もし身体の一カ所以上から組織を取り除かなければいけない時は、それぞれの部位に対して異なる手術の道具を使うなどです。

●ヘリコバクター・ピロリが感染した胃粘膜上皮の組織

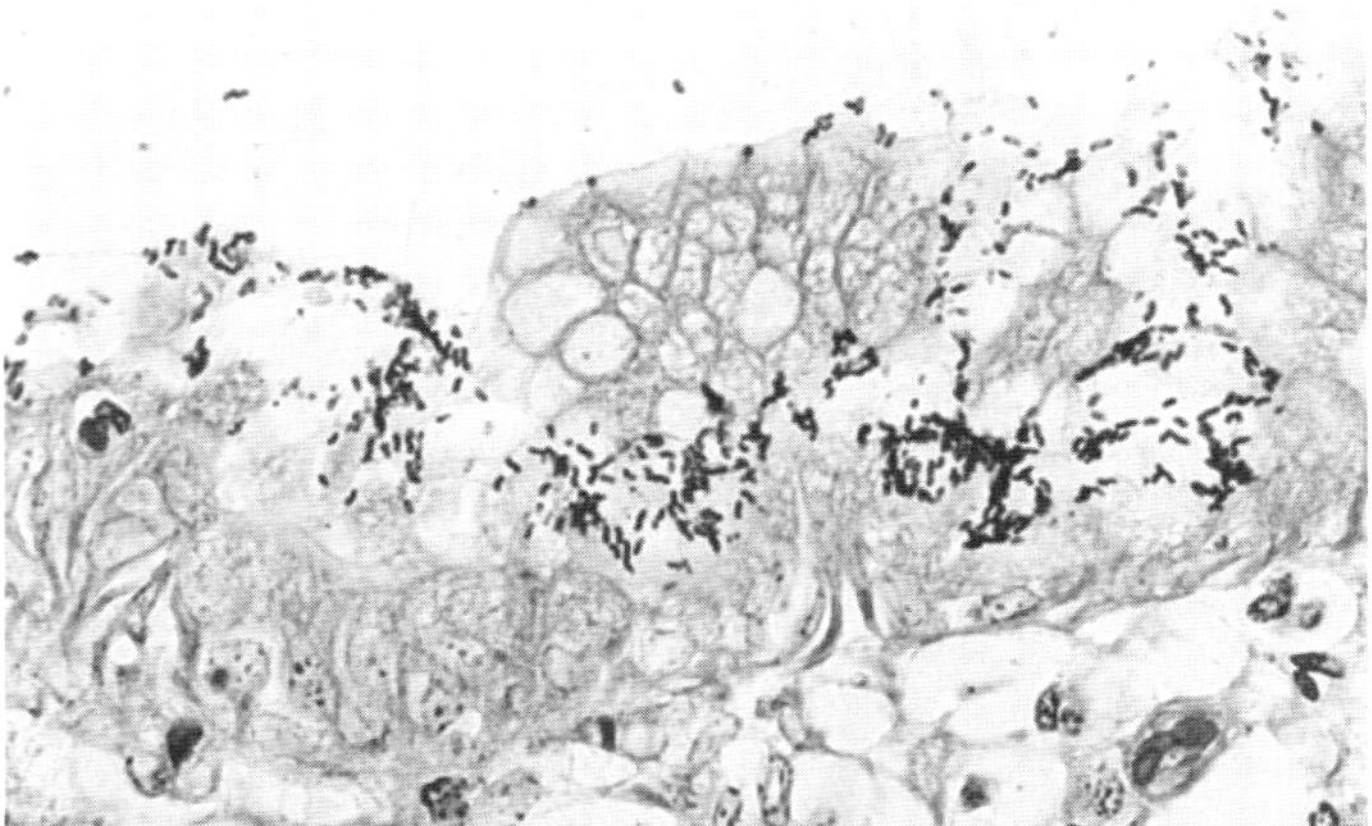

携帯電話はガンを引き起こす?

これまでに行われた研究によると、携帯電話がガンを引き起こすことは示されていません。ガンは遺伝子の変異によって引き起こされますが、携帯電話が発生する電磁波は、遺伝子にダメージを与えない種類の低周波エネルギーです。

ガンを治すハーブがある?

ある種のハーブは、ガン患者の治療の副作用に対して効果があることを示した研究はありますが、ガン治療に効果があることが示されたハーブはありません。

むしろハーブの中には、化学療法や放射線療法の最中に摂取すると、治療の作用機序に干渉し、治療に有害となるものもあります。ガンに罹患している患者が、ビタミン剤やハーブサプリメントなどの補完療法および代替療法製品の利用を考えている時は、主治医と話し合うべきです。

家族にガン罹患者がいれば、自分もガンになる可能性が高い？

必ずしもそうとは限りません。ガンのうち、両親から遺伝した有害な変異によって引き起こされるのは5～10％にすぎません。ガンを引き起こす遺伝性の変異を有する家族では、家族内のメンバーが同じタイプのガンを発症することがしばしばあります。これらのガンは「家族性」または「遺伝性」のガンと呼ばれます。

残りの90～95％のガンは、加齢、または、喫煙や放射線といった環境的な要因にさらされた自然な結果として、生涯を通じて引き起こされた変異によるものです。

家族にガン罹患者がなければ、自分もガン発症のリスクは小さい？

最近のデータに基づくと、約40％の男女が、生涯のどこかでガンと診断されます。ほとんどのガンは、加齢、または、喫煙や放射線といった環境的な要因による遺伝子変異によるものです。したがって、家族にガン罹患者がいなくてもガンになる可能性はあります。

SECTION 25

その他の迷信

健康は誰もが気にする事柄です。それだけに迷信がたくさんあります。ここでは昔の有名な迷信とつい数年前にテレビなどで言いふらされた迷信を見てみましょう。

不老不死の迷信

長生きをしたいと思うのは多くの人の願いです。ところが長生きどころか不老不死を望み、そのために努力した人たちがいます。それは中国歴代の皇帝たちです。彼らは仙薬と称する不老不死の薬を飲み続け、中毒になって早逝しました。

❶ 水銀

中国人は、水銀Hgを特別の目で見ていたようです。水銀は液体の金属であり、比重は鉄の1・7倍もあって、輝いています。その上、表面張力が大きいので掌に一滴落とすと、蓮の葉の上の水滴のようにコロコロと動いて留まることがありません。この状態から昔の中国人は水銀を生命の象徴と考えたようです。

ところがこの水銀を空気中で400℃ほどに熱すると酸化水銀の黒い固体となって、輝きを失い、動くことも無くなります。つまり水銀が死んだのです。

ところがこの黒い塊を更に高い温度に加熱すると、熱分解して元の輝く水銀に戻ります。つまり水銀が再生したのです。

●水銀

❷フェニックス

水銀は一度死に、火の中で再生するのです。これが不死鳥、フェニックスの化身でなくて何でしょうということで、この「フェニックスを飲めば俺もフェニックスになる」ということで、歴代の中国皇帝は水銀入りの仙薬を飲みました。

その結果は、当然の水銀中毒です。声は枯れ、顔は土気色となり、水銀の神経毒性のおかげで怒りっぽくなり、ますます人間離れして「神の領域」に近付いたのです。と宦官たちに言いくるめられたのでしょう。

皇帝が廃人になれば、政治は宦官たちの思いのままです。ということで、中国の歴代皇帝たちの（当時の医師の遺した）カルテを現代の目で見ると、この皇帝、この皇帝という具合に少なくとも5人の実名を挙げることが出来ると言います。

血液の酸性とアルカリ性

数年前、テレビでは肉ばかり食べると血液が酸性になる。野菜を多く食べれば血液がアルカリ性になるという説が毎日のように語られていました。

人の血液は緩衝溶液という特殊な組成になっており、少々の酸やアルカリが混じったからと言って酸性になったりアルカリ性になったりするほどヤワではありません。

人の血液の酸度は、ｐＨ７・４と一定に保たれていて、食事の内容に影響されることはありません。何を食べたかにより血液の酸度が簡単に変化すると、食後に体調がどんどん変わってしまい、活動が困難になります。たとえば、ｐＨ７・６になると、高度のアルカリ血で筋肉はぴくぴくひきつり、ｐＨ６・９の酸性血になると極度の倦怠感でなにもできなくなります。

Chapter. 6
原子炉の現実

SECTION 26

原子構造

キュリー夫人による放射線の発見は原子核の研究へと発展しました。原子核の研究は20世紀の科学と言ってよいでしょう。それは原子構造の解明に続いて原子核の構造解明に進み、そのエネルギーの発見と利用に進んだのです。

その結果人類が手にしたのは膨大な量のエネルギーでしたが、人類がそれを使って最初に行ったことは大量破壊という愚行でした。広島と長崎に投下された原子爆弾は核分裂によるものでした。

人類は核分裂に飽きたらず、核融合の技術をも手に入れました。しかしこれを使ったのもまたもや大量破壊でした。それが水素爆弾です。その後人類は核エネルギーの平和利用に取り掛かり、核分裂による原子炉を作り、電力の生産を始めました。

核融合の平和利用も計画していますが、こちらは難問で核融合炉が実現するのは30年後とも50年後とも言われています。

原子の構造

原子は雲でできた球のような物です。雲のように見えるのは電子雲と言う電子でできた雲であり、その中心に小さくて密度の大きい原子核があります。電子は重さは無視できるほど小さいですがマイナス1の電荷をもちます。

原子の直径はおよそ 10^{-10} mですが、原子を拡大してピンポン玉の大きさにしたとすると、ピンポン球を同じ拡大率で拡大すると地球の大きさになるという大小関係です。原子核の直径はおよそ 10^{-14} m、つまり原子の1万分の1です。これは原子を直径100mの球とすると、原子核は直径1㎝のビー玉の大きさになるという関係です。

東京ドームを2個貼り合わせて作った巨大どら焼き

●原子の構造

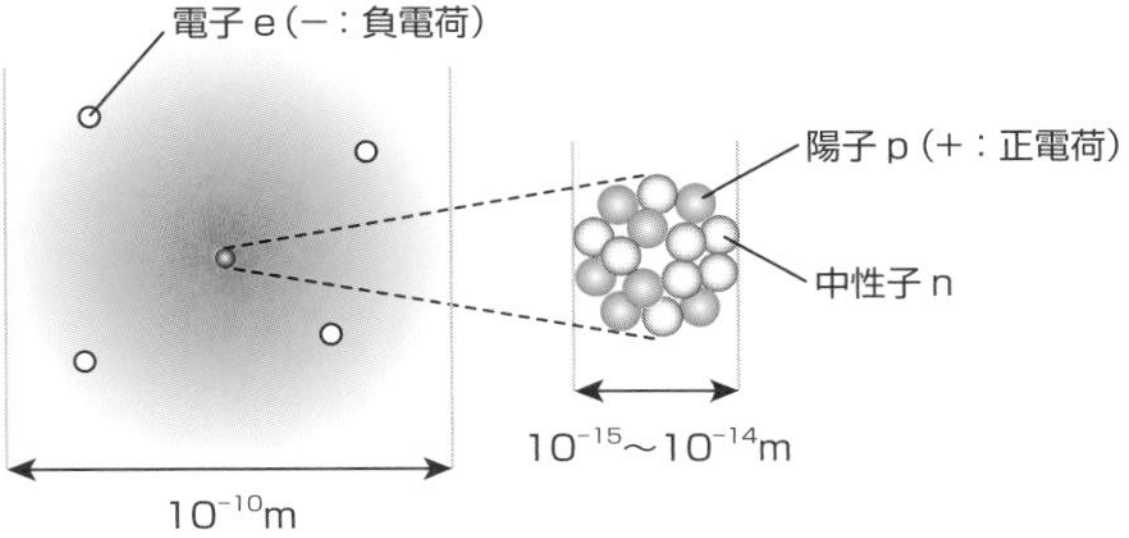

を原子とすると、原子核はピッチャーマウンドに転がるビー玉ということです。

原子核の構造

原子核は陽子(記号p)と中性子(n)という2種類の粒子からできています。陽子はプラス1の電荷を持ち、重さは1質量数と言う単位で表されます。中性子は電荷は持ちませんが、重さは陽子と同じ1質量数です。

原子核を作る陽子の個数を原子番号と言い、記号Zで表します。地球の自然界に存在する原子の原子番号はZ＝1の水素HからZ＝92のウランUまでのおよそ90種類にすぎません。

原子核を作る陽子の個数と中性子の個数の和を質量数と言い、記号Aで表します。Zは元素記号の左下、質量数は元素記号の左上に共に添え字で書く約束になっています。

●同位体

元素名	水素			炭素		酸素		塩素		ウラン	
記号	^{1}H (H)	^{2}H (D)	^{3}H (T)	^{12}C	^{13}C	^{16}O	^{18}O	^{35}Cl	^{37}Cl	^{235}U	^{238}U
陽子数	1	1	1	6	6	8	8	17	17	92	92
中性子数	0	1	2	6	7	8	10	18	20	143	146
存在比 %	99.98	0.015	～0	98.89	1.11	99.76	0.20	75.53	24.47	0.72	99.28

同位体

原子番号の等しい原子の集団を元素と言います。しかし原子の中には原子番号は同じだが質量数の異なる物があります。この様な原子を互いに同位体と言います。

たとえば地球上の水素原子Hには中性子を持たない(軽)水素^{1}H、中性子を1個持った重水素^{2}H(記号Dで表すこともある)、中性子を2個持った三重水素^{3}H(T)の3種があります。宇宙全体では少なくとも7種の水素同位体が存在すると言います。同位体の割合(存在比)は多くの場合、同位体によって大きく異なり、水素の場合には^{1}Hが99・98%、^{2}Hが0・015%、^{3}Hはほぼ0%となっています。

原子核反応の代表選手のようになっているウランでは^{235}Uが0・7%、^{238}Uが99・3%となっていますが、原子炉で燃料として使うことが出来るのは少ない方の^{235}Uです。

●水素同位体

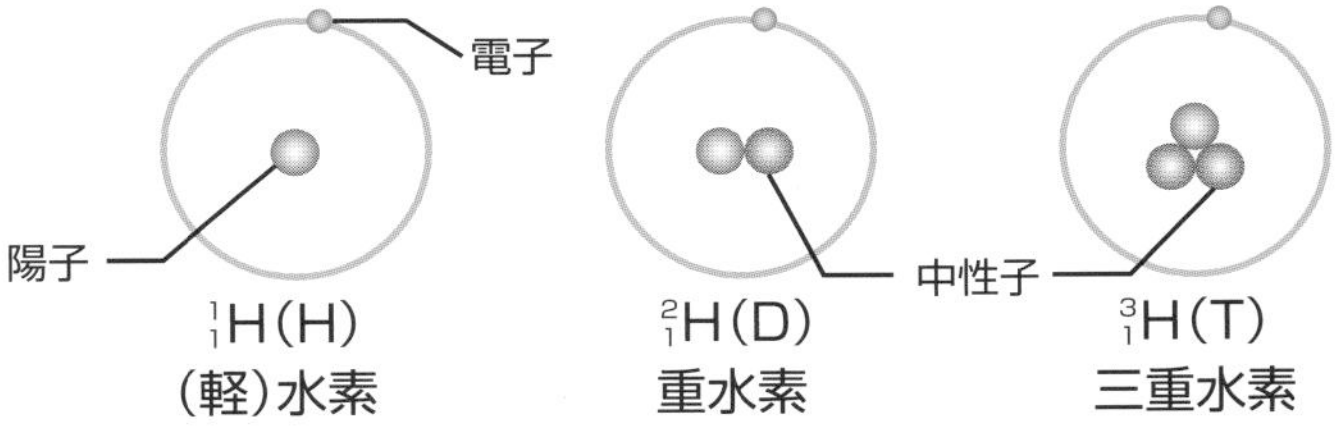

SECTION 27

原子核反応

かつては、元素は変化しないと考えられていました。だから、原子を変化させる、つまり卑金属元素を貴金属元素に換えるという錬金術はペテンの代表に言われたのです。しかし、元素は変化することも、変化させられることも出来るのです。結局正しかったのは錬金術師の主張の方だったのです。

原子核の起こす反応を原子核反応と言い、主に原子核崩壊、原子核分裂、原子核融合の3種があります。

原子核崩壊

原子核はその一部を放出して、その分だけ小さい原子核に変化することがあります。

このような変化を原子核崩壊と言い、放出された物を放射線といいます。放射線には多くの種類がありますが主な物として α 線、β 線、γ 線、中性子線があります。いずれも高エネルギーで大変に危険です。

- α 線………4He、ヘリウム4の原子核が高速で飛ぶものです
- β 線………電子が高速で飛ぶものです
- γ 線………波長の短い、高エネルギーの電磁波です。X線と同じ物です
- 中性子線…中性子が高速で飛ぶものです

放射線を出す原子(同位体)を放射性同位体、あるいは放射性物質、放射線を出す能力を放射能と言います。

人に直接害を与えるのは放射線であり、放射性物質でも、まして放射能でもありません。野球に例えれば放射線はデッドボールのボールであり、放射性物質はピッチャー、放射能はピッチャーになれる能力ということです。当たると痛いのはボールです。ピッチャーがバッターに体当たりすることはありません。

核分裂反応・核融合反応

全ての物質は固有のエネルギーを持っています。原子核も持っています。そのエネルギー量はグラフで示したように原子の質量数Aに応じて変化します。つまり、水素H（A＝1）やヘリウムHe（A＝4）のような小さい原子やウランU（A＝238）のような大きな原子は大量のエネルギーを持っており、質量数60近辺の原子（鉄Feなど）では小さくなっています。

これは、大きな原子を壊して小さくするか、小さな原子を融合して大きくすればその差のエネルギーが放出されることを意味します。前者の反応を核分裂反応、その時に放出されるエネルギーを核分裂エネルギーと呼びます。反対に後者の反応を核融合反応、エネルギーを核融合エネルギーと呼びます。太陽などの恒星では核融合反応が起こっており、そのエネルギーで輝いていることは先に「現代の宇宙観」の項で見た通りです。

●核分裂エネルギー

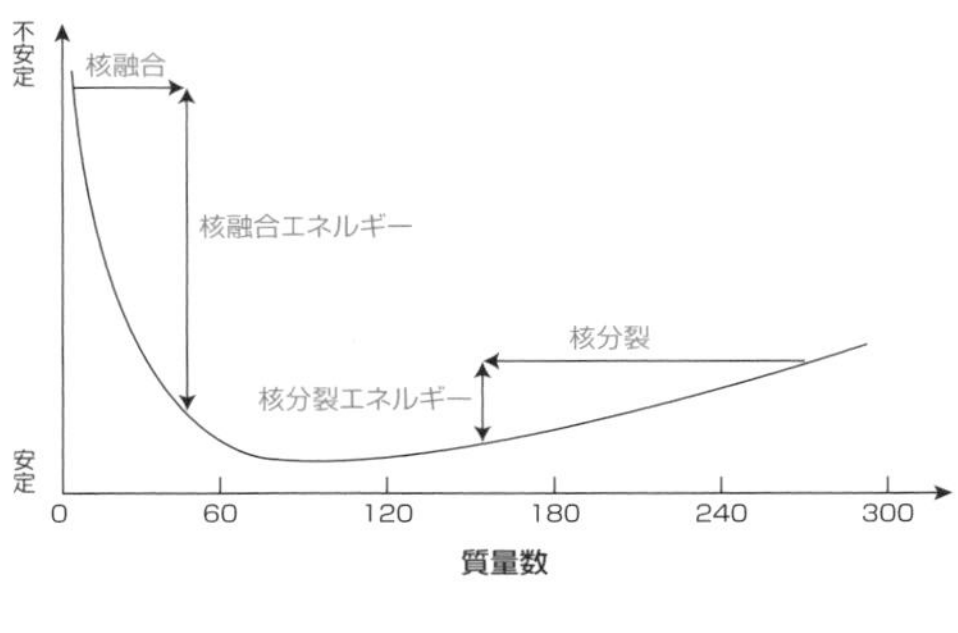

SECTION 28

原子爆弾と水素爆弾

原子核を用いた爆弾を核爆弾と言います。一般に原子爆弾と言うのは核分裂反応を用いた爆弾であり、核融合を用いた爆弾は水素爆弾と言います。同じ核爆弾でも両者は全く反対の原理で爆発する爆弾です。

拡大連鎖反応

^{235}Uの原子核に中性子nが衝突すると^{235}Uの原子核は核分裂を起こします。このとき、大量の核分裂エネルギー、各種の核分裂生成物、各種の放射線とともに複数個（簡単化のために2個としましょう）の中性子を放出します。

この中性子は2個の^{235}U原子核に衝突して核分裂を起こします。すると$2 \times 2 = 2^2 = 4$個の中性子が発生し、それがまた核分裂を誘発すると$2^3 = 8$個の中性子が発生し、という具合に代を重ねるごとにネズミ算式に核分裂反応が拡大します。

この様な反応を枝分かれ連鎖反応と言います。この結果、核分裂反応は一挙に拡大し、爆発となります。これが原子爆弾の基本的な原理です。

臨界

^{235}Uの原子核は常に小規模の原子核崩壊を起こし、中性子を放出しています。しかし地中に存在する^{235}Uは原子爆弾のように爆発はしません。それは^{235}U金属の塊が小さいからです。そのため、発生した中性子は次の原子核に衝突する前に塊か

●枝分かれ連鎖反応

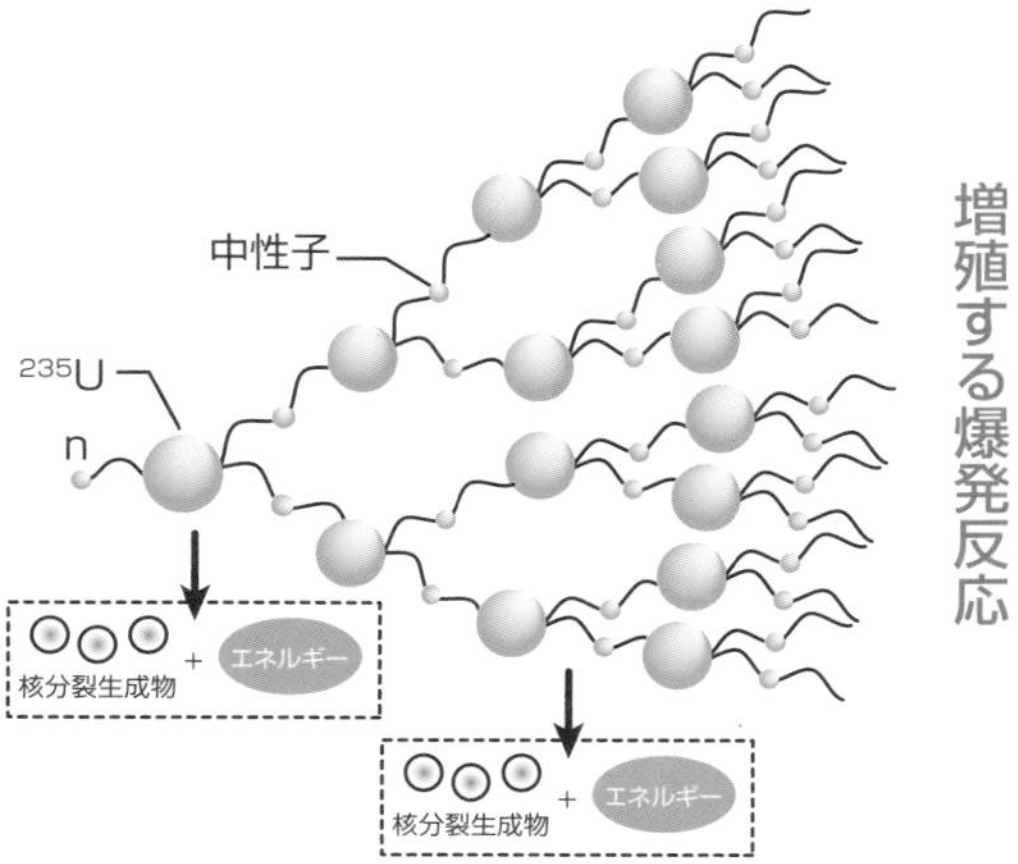

ら抜け出してしまうのです。

ということは、^{235}U金属の塊がある程度大きければ、中性子は塊から抜け出す前に他の原子核に衝突して核分裂を起こすことになります。こうなったら爆発です。

この、爆発を起こさないギリギリの^{235}Uの塊の重量を臨界量と言います。放射性物質を扱う者にとっての鉄則は、放射性物質を臨界量にまでまとめてはいけないということです。

慣れから来るずさんな取り扱いによって、臨界量を越えるウラン溶液を作ってしまったことで起きた事故が1999年に茨城県東海村の原子力研究施設で起こった臨界事故でした。この事故では作業員2人が死亡し、数百人の近隣住民が避難するという大事故になりました。

原子爆弾

原子爆弾の原理と構造は簡単です。臨界量の^{235}Uの塊を二分子して、離して置き、爆発させたいときに化学爆薬によって二個の塊を衝突させて合体させればよいのです。これが広島に落とされた原子爆弾の構造でした。

これは非常に簡単な構造であり、今から50年も前の、まだネットもパソコンも無い時代にアメリカ、マサチューセッツ工科大学の学生が、夏休みの自由研究として原子爆弾の設計図を提出して教官を驚かせたことがありました。しかし、いくら正確な設計図を書き、その通りに原子爆弾を作っても、爆薬に相当する^{235}Uが手に入らければ爆弾にはなりません。

ということは、もし^{235}Uが例えばテロリストの手に入ったら、いとも簡単に原子爆弾は作られてしまうと言うことです。各国がウランの取り扱いに神経を尖らしているのはこのような背景があるからです。

原子爆弾の大きさ（爆発力）は同じ規模の爆発を起こすのに要する化学爆薬、トリニトロトルエンＴＮＴの重量で表されます。広島に落とされた原爆の爆発力は15キロトン（1万5千トン）でした。長崎に落とされたのはウランUでなく、プルトニウムPuを用いた物でしたが、爆発力は同じ程度だったようです。

広島市では当時の人口35万人（推定）のうち9万〜16万6千人が被爆から2〜４カ月以内に死亡したとされます。長崎でも１９４５年12月末までに7万3千人が亡くなったと言います。世紀の愚行としか言いようがありません。

水素爆弾

第二次世界大戦後の数十年間は冷戦時代と言われ、アメリカとソビエト連邦（ソ連、現在のロシア）が互いに国力を競い合った時代でした。2匹の犬の首を取り換える外科手術だとか、人工衛星を競い合うのは未だ実りある競争ですが、爆弾の大きさを競い合うようになっては末期的な症状です。

この時に使った爆弾が水素爆弾でした。水素爆弾というのは太陽で起こっている反応と同じく、2個の水素原子を融合させてヘリウムにする時に発生するエネルギーを破壊的に用いる物です。水素爆弾の爆発力は原子爆弾の爆発力とは桁が違います。

●銃身型の構造

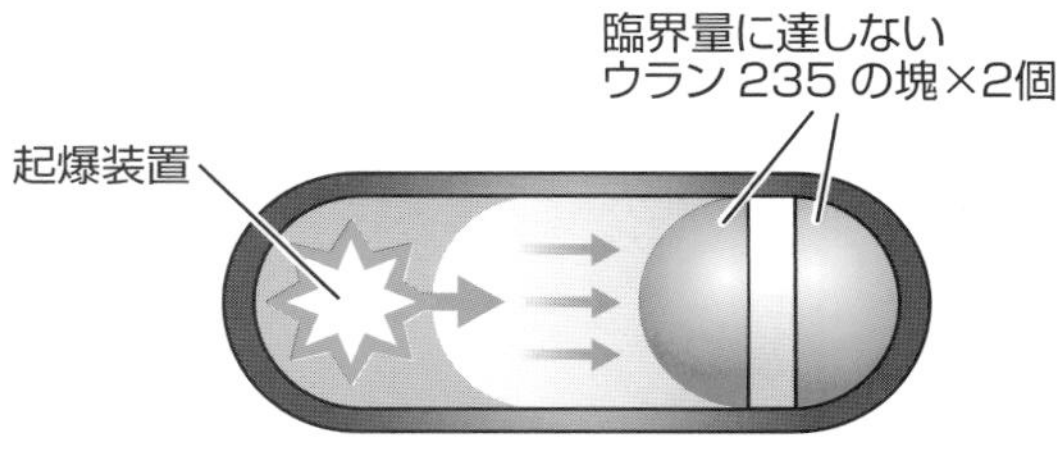

アメリカが1952年に爆発させた水素爆弾は、冷却器で液化した水素を原子爆弾の熱で核融合させるというもので、総重量65トンという、非実用的なものでしたが、爆発力は10・4メガトン（1メガトン＝100万トン）もありました。

1954年に日本のマグロ漁船第5福竜丸がビキニ環礁沖で被爆したのも、アメリカの水素爆弾の実験でした。この時、船はアメリカの指定した危険水域には入っておらず、危険水域の外で操業していたのですが被爆してしまいました。アメリカが爆発の規模を間違って推定していたためだと言われます。

その後、1961年にソ連がツァーリボンバ（爆弾の皇帝）と名付けた水素爆弾を実験しました。これは飛行機で運搬し、シベリアの上空3000メートルで爆発させられました。爆発力は50メガトンでした。これは第二次世界大戦で使われた爆薬の総量の10倍と言われます。

当初ソビエト上層部は100メガトンの爆弾を計画していたと言います。しかしこれだけ大きいと投下した飛行機が避難できず、爆発に巻き込まれるということで50メガトンに縮小したと言います。

さすがにこれ以降はこのようなバカバカしい競争は行われなくなりました。

SECTION 29

原子力発電

火力発電はボイラーで石炭、石油、天然ガスなどの化石燃料を燃焼し、その火力でお湯を沸かして水蒸気を作り、その水蒸気を発電機のタービンに噴射してタービンを回転し、電気を起こします。

原子力発電も全く同じです。原子炉でお湯を沸かして水蒸気を作り、それでタービンを回して電気を起こします。原子力発電というと何やら高尚に聞こえて、火力発電などとは全く異なった原理で発電しているもののように思いがちですが、そうではありません。火力発電と全く同じ原理なのです。

火力発電がボイラーで作る水蒸気を原子炉で作っているだけなのです。原子炉など、ボイラーの成り上がりのようなものです。

原子炉の発熱原理

原子炉の発熱原理は原子爆弾と同じです。原子爆弾がエネルギーを一挙に放出するのに対して、原子炉ではそのエネルギーを小出しにしているだけです。それにしても、小出しにするためにはそれだけの工夫が必要となります。

連鎖反応

まず、連鎖反応の規模です。原子爆弾では反応は枝分かれ連鎖反応で反応規模が一挙に拡大しました。拡大した理由は1回の核分裂で発生する中性子数が複数(図では2個)だったからです。もしこの中性子が1個だったら、連鎖反応は拡大せず、同じ規模で継続するはずです。この様な反応を定常連鎖反応と言います。

原子炉では、この定常連鎖反応が進行しているのです。そのためにはどうすればよいか？　余分な中性子を除いてやれば良いのです。そのための装置を制御棒と言います。制御棒は中性子を吸収する物質カドミウムCdやハフニウムHfを用いて作ります。

燃料体

天然ウランは0・7%の^{235}Uと99・3%の^{238}Uという2種類の同位体の混合物ですが、このうち、原子炉の燃料となるのは^{235}Uです。しかし天然ウランに含まれる濃度では薄すぎて効率的な反応ができません。一般に、原子炉燃料にするには濃度を5%程度、原子爆弾にするためには90%近くの濃度にする必要があると言われます。

^{235}Uの濃度を上げる操作をウランの濃縮と言います。濃縮には原始的な方法を用います。つまりウランUとフッ素F_2を反応して六フッ化ウランUF_6にします。UF_6は気体なのでこれを遠心分離器にかけて重い$^{238}UF_6$と軽い$^{235}UF_6$に分離します。

一口に重い軽いと言ってもFの質量数は19ですから$^{238}UF_6$の質量数は352、$^{235}UF_6$が349です。両者の重さの違いは1%も無いのですから、分離は大変な操作になります。

このようにして作った^{235}Uをボタン状に加工し、それを筒に入れて燃料棒とし、これを何本も束ねた物が燃料体と言われる燃料となります。

減速材

原子炉を作るにはもう一つ大切な物があります。それは減速材です。ウランの核分裂で発生する中性子は大きな反応エネルギーを持っており、高速で飛行する高速中性子です。^{235}Uは高速中性子とは効率的に反応しません。反応を効率的に進めるためには中性子の飛行速度を落とす必要があります。

そのためには、またも原始的な方法を用います。つまり、中性子を質量の似た物体に衝突させるのです。そのための最適な物は質量数が中性子と同じ陽子です。つまり水素原子の原子核です。水素原子が高濃度で含まれるのは液体の水です。ということで、お湯になるために原子炉にいれてある水が同時に減速材になるのです。

一般に減速材として使用されるのは水(軽水)H_2O、重水D_2Oなどです。後に見ますが、D_2OをつかうとプルトニウムPuが効率的に生産され、プルトニウムは長崎に投下された原子爆弾に使われたように原子爆弾の爆薬になります。そのため、民生用の原子炉には普通の水、軍事用を兼ねた原子炉には重水が用いられます。前者を軽水炉、後者を重水炉と呼びます。日本の原子炉はもちろん全て軽水炉です。

原子炉の構造

図は原子炉の構造をこれ以上ないほど簡単化したものです。厚さ20㎝ほどのステンレス製の圧力容器の中が原子炉です。圧力容器は更にステンレスと厚さ2ｍほどのコンクリートでできた格納容器の中に入っています。

原子炉の中には燃料体があり、その間に制御材が挿入されています。周りは水（〝冷却水〟兼〝水蒸気原料〟兼〝減速材〟）で満たされています。制御材を燃料体の間に深く挿入すれば吸収される中性子が多くなるので反応は緩くなります、引き抜けば反応が活発になります。制御材は原子炉のアクセルであり、ブレーキなのです。

反応によって加熱された冷却材の水は水蒸気となり、パイプを通って圧力容器の外部に導かれます。そして熱交換機を通じて二次冷却水に熱を伝

●原子炉の間略化した構造

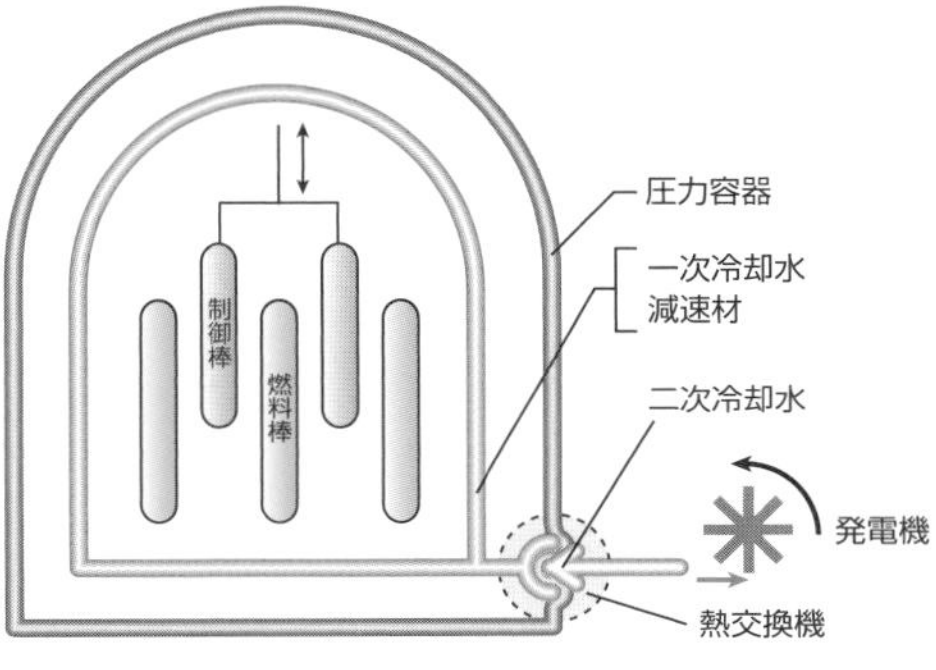

えた後、また原子炉に戻ります。

燃料体は燃え尽きると原子炉から抜き取られます。しかし、核分裂生成物は不安定な原子核の集まりですから、未だ大量の熱と大量の放射線を放出しています。そのため、しばらくのあいだ冷水を張ったプールに保管します。

冷水を用いるのは冷却のためと同時に、中性子線を水と衝突させることによって減衰させるためです。

原子炉事故

原子炉は機械設備です。故障の無い機械など幻想にすぎません。原子炉を稼働するとしばしば起こる事故が冷却水漏れです。しかし、この水は常に二次冷却水であり、放射線で汚染はされていないので環境汚染の恐れはないと報告されています。

恐ろしい事故が起きたのは2011年3月でした。地震によって電源を失った原子炉施設では原子炉に冷却水の循環が滞り、原子炉内部が高温高圧になりました。爆発を避けるために圧力容器の弁が開いて蒸気を逃がしました。その結果、燃料体の空焚きが始まり、燃料体を覆おう金属容器が高温になりました。

多くの金属は高温になると水と反応して水素ガスを発生します。この水素ガスが圧力容器から出て格納容器に溜まり、静電気などによって爆発しました。これが水素爆発です。

一方燃料体は熔融（メルトダウン）し、圧力容器や格納容器に孔を空け、地中にまで達したようです。これが福島で起きた原子炉事故の概要です。この被害規模は甚大です。原子炉は事故を起こすとこのようなことになります。明らかになっているだけでも、人類はこれまでに重大な原子炉事故を3回起こしています。

最初は1979年にアメリカ、スリーマイル島で起きた原子炉事故でした。これは幸いに死者は出ませんでした。次は1986年にソビエトのチェルノブイリで起きた事故でした。この事故の詳しい状況は明らかになっていませんが、事故の後処理を含めて数千人が亡くなったとの説もあります。次が福島の事故です。

しかしこの他にも、先に見た「東海村の臨界事故」アメリカで起きた「エンリコ・フェルミのメルトダウン事故」、「原子力商船陸奥の中性子漏洩事故」あるいは後に見る「高速増殖炉もんじゅのナトリウム漏れ事故」など、多くの事故が起こっています。

SECTION 30

高速増殖炉

高速増殖炉は正しく魔法の原子炉です。燃料を使って反応すると、普通の原子炉と同じように大量のエネルギーを放出しますが、その後を調べると、使った燃料以上の燃料が残っているのです。石油ストーブを燃やすと、初めに入れた石油の量以上の石油が溜まっているのです。こんなバカな話があるでしょうか？　実際に在るのです。それが高速増殖炉なのです。

「増殖」の意味は、1kgの燃料を使い終わると、その後に1kg以上の燃料が生産されていることを言います。最初の量より増えていなかったら増殖とは言いません。「高速」の意味は誤解されやすいです。「高速増殖」と言われたら、日本語の場合、「増殖が高速で進行する」と受け取るのが普通です。でも今の場合は違います。これは「高速中性子を用いる」という意味で使っているのです。つまり、高速増殖炉というのは「高速中性子を用いて燃料を増殖する原子炉」と言う意味なのです。

高速増殖炉の原理

ここまでの話では、高速増殖炉の原理は、魔法のような原理で動く原子炉と思われるのではないでしょうか？　科学に魔法はありません。話を聞けば単純な原理であることがわかるでしょう。

^{238}Uに高速中性子を照射すると^{238}Uは中性子を吸収して質量数を1増やして^{239}Uになります。この原子は不安定なので電子を放出し、その分原子番号を1増やしてネプツニウム$_{93}Np$となり、さらに電子を放出してプルトニウム$_{94}Pu$となります。プルトニウムは^{235}Uと同じように原子炉の燃料となり、原子爆弾の爆発物となります。

つまり、使い物にならなかった^{238}Uが^{235}Uと同じ燃料に変化するのです。しかも、原子爆弾の爆発物としてはウランより優れていると言われます。

そこで、Puの外側を^{238}Uで囲った燃料を作り、プルトニウムを核分裂させます。するとプルトニウムは大量のエネルギーとともに高速中性子を放出します。この中性子を吸収して^{238}UがPuに変化すると言うわけなのです。これが燃料増殖のカラクリです。

高速増殖炉「もんじゅ」の事故

高速増殖炉の問題点は冷却材として「水」を使うことはできないと言うことです。先に見たように水を使うと「高速中性子」が低速の「熱中性子」になってしまいます。これでは^{238}UはPuになりません。

それでは、冷却材に何を用いるか？　いろいろ試した結果、冷却材として用いられたのは金属ナトリウムNaでした。その理由は比重が小さい（0・95）、融点が低い（98℃）などによるものです。しかし、ナトリウムは反応性の激しい金属であり、水にあうと高熱と水素を発生し、水素に火がついて爆発します。

この冷却材の問題によって各国が高速増殖炉開発から手を引いた中で、日本はあえて挑戦したのでした。それが高速増殖炉の実験炉「もんじゅ」でした。ところが1995年、も

●高速増殖炉の原理

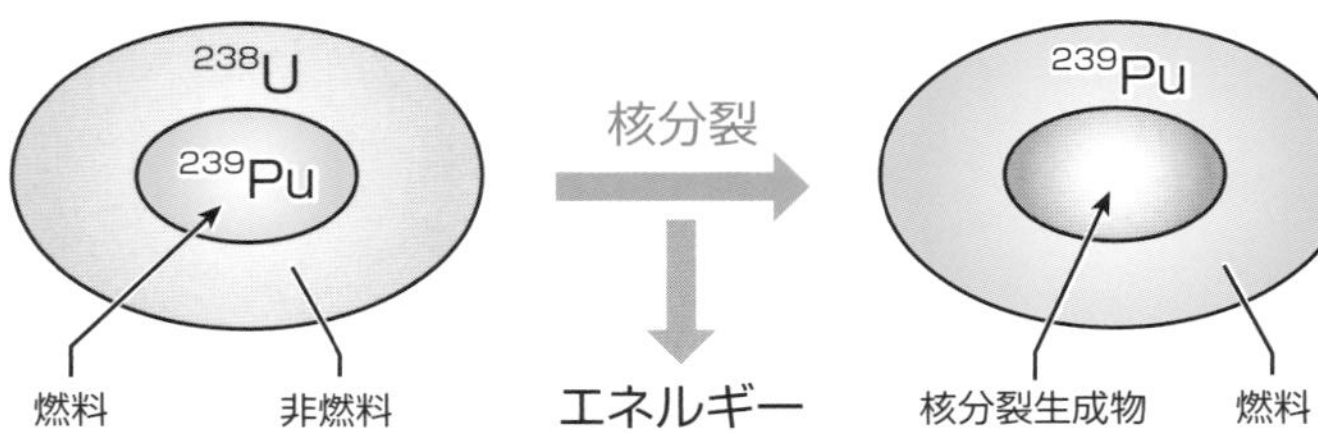

んじゅが事故を起こしました。それも、最も懸念されたナトリウム漏れでした。配管に孔が空き、そこから高温（７５０℃）のナトリウムが大量（６４０㎏）に漏れ、床に積もったのです。

幸いなことにナトリウムが水や湿気に反応することなく、爆発には至りませんでした。しかし調査すると管理、運転に不十分な点があることがわかりました。そこで、修理と管理運転法の見直しということで２０１０年まで運転は中止されました。ところが運転再開に向けて必要部材を炉内に設置している時に部材の落下というあるまじき事故を起こし、再開は延期されました。

しかし、その後も再開されることはなく、ついに２０１６年、廃炉が正式決定されたのでした。

プルサーマル計画

普通の原子炉を稼働すると必然的にプルトニウムが生成します。プルトニウムは使用済み核燃料の一部として処理してしまうことも可能なのですが、日本は将来の高速増殖炉稼働を見通して、プルトニウムを抽出して保存する方法を選んでいます。

このため、年々プルトニウムが溜まっていきます。プルトニウムは原子爆弾の材料です。プルトニウムの保有量が増えると諸外国から危険視されかねません。何とかプルトニウムを処理しなければなりません。

そのために考え出したのがプルサーマル計画です。これはプルトニウムをウランに混ぜて普通の原子炉で燃料として使おうという方法です。２０１０年に開始されたこの計画は10年経った現在、この方法によって出た使用済み核燃料の処置が問題になっています。発熱量が普通の使用済み核燃料より大きく、格別の処置を必要とするというのです。

このように、原子炉には多くの未解決の問題があるのですが、日本は先の見通しが甘く、その場しのぎの対策に終始しているきらいがあると言わざるをえないのでは無いでしょうか。

SECTION 31

トリウム原子炉

現在稼働している原子炉の燃料は原子番号92の^{235}Uです。しかし、原子炉の燃料になることのできる物は^{235}Uだけではありません。前項で見たように^{238}Uも燃料になれますし、原子番号94のプルトニウムPuも燃料として使うことができます。しかし、実はあまり知られていませんが、もう一つ燃料になることのできる元素が存在するのです。それがトリウムThです。

トリウム

トリウムは原子番号90の元素で、ウランと同じように天然に存在する元素でウランと同じく銀白色の金属です。天然に存在せず、原子炉で人工的に作らなければならないプルトニウムとは大きな違いがあります。

トリウムとウランには大きな違いがあります。ウランの同位体のうち、通常型の原子炉で燃料として使うことが出来るのは０・７％しか含まれていない^{235}Uだけですが、トリウムはそのほとんどがただ1種の同位体^{232}Thなのです。

しかも、この^{232}Thがそのまま核燃料として使うことが出来るのです。ウランのように濃縮なんて面倒なことをする必要はありません。そのうえ、トリウムの地殻中での存在量は、全元素中38番目に多く、その濃度は12ｐｐｍです。ウランは53番で濃度は４ｐｐｍですから、トリウムはウランの3倍も多く存在するのです。ちなみに銀は69番、白金は74番、金は75番ですから、トリウムの地殻中での存在量がいかに大きいかがわかります。

トリウム原子炉

このように優れた燃料を原子炉に用いない理由はありません。ということで原子炉の黎明期にはトリウム原子炉も実際に作られたのです。そして数年間安全に稼働した実績もあります。そのようなトリウム型原子炉が、なぜ、現在は稼働していないのでしょうか？

アメリカで原子炉を本格的に導入する時に大きな論争があったと言います。トリウム型原子炉を主張する説とウラン型原子炉を主張する説です。ウラン型を主張したのは軍部だったと言います。それは、ウラン型原子炉を稼働すれば黙っていてもプルトニウムが生産されます。プルトニウムは原子爆弾の原料です。しかも当時は朝鮮戦争が行われており、東西冷戦の真最中です。

ということで、ウラン型原子炉の採用が決定されたと言います。一度ウラン型に決定され、世界中の原子炉がウラン型で動いている時に、トリウム型を導入しようとすることは、開発コスト、設置コスト、運用コストを考えると現実的ではありません。

ということで、プルトニウム産出と言う、現在で考えれば負の側面があるにも拘わらず、世界中でウラン型を運用し続けているのです。

しかし、ウラン資源が少なく、反面トリウム資源の豊富なインドを始め、中国などもトリウム型原子炉に興味を示し、開発に着手しているとの話もあります。近い将来、トリウム型原子炉が復活することになるのかもしれません。

SECTION 32

核融合炉

原子核はエネルギーの宝庫ですが、このエネルギーを放出するためには2つの方法があります。核分裂と核融合です。放出されるエネルギーは原子爆弾と水素爆弾で比べたように、桁違いに核融合の方が大きいです。だとしたら核融合を原子炉に応用した核融合炉を作ろうとの試みが出てくるのは当然です。

トカマク型

核融合炉作成の試みは、現在の核分裂炉の試みと同時に発足したと言ってもよいでしょう。しかし、扱うエネルギーが膨大なだけに核融合炉の作製も困難を極めています。

私が学生だった頃、核融合炉の実現は30年後と言われました。ところが、それから

50年（半世紀）たった現在も、実用化は30年以上先と言われています。これは研究が進めば進むほど、その研究が困難であることがわかるだけ、ということを意味しています。核融合炉にはいろいろの種類が考えられ、核融合部分を電気と磁気で閉じ込めるのが本質ですが、中でもトカマク型と言われるタイプが中心となって開発が進められています。

研究は1国でやるには荷が大きすぎるため、フランスを中心とした国際共同体で行っており、日本でも岐阜県土岐市に研究所を置いて研究しています。

●核融合発電施設の例（トカマク型）

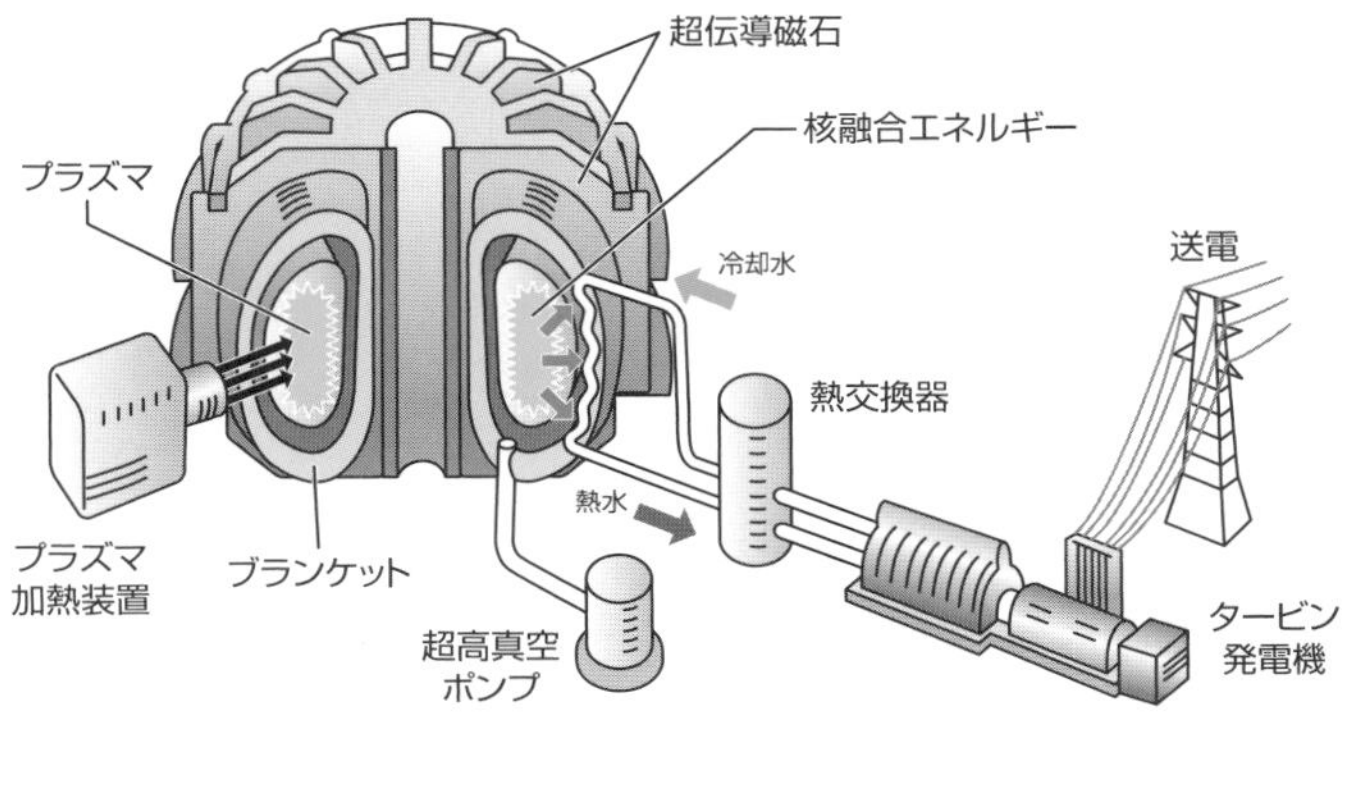

※参考　トコトンやさしいエネルギーの本 山崎耕造著（2005 年日刊工業新聞社刊）

ローソン条件

核融合を実現するためには、水素原子を電子と原子核がバラバラになったプラズマとし、それを高温高圧で一定時間持続する必要があります。この条件は一般にローソン条件と言われ、それはプラズマ密度＝100兆個/1cm^3、温度＝1億度、持続時間＝1秒間と言う過酷なものです。

永年の努力が実り、この条件はどうにか満足することができたようですが、実験炉を稼働するためにも未だこの先数十年かかると言われ、本格的な稼働は先が読めない状態の様です。

ただし、この実験には三重水素^3Hの発生が伴い、^3Hは放射性でβ線を放出し、しかも一旦自然界に放出されると酸素と結合して水となることから、回収は不可能です。そのため、実験施設の近隣の住民は不安を隠しきれないようです。

実験者側は、この様な住民の不安を取り除くためにも、実験状況の詳細な開示が要求されることでしょう。この様なデータを素人に開示しても不安を煽るだけだ、などと考えたらとんでもない思い上がりです。

SECTION 33

常温核融合

核融合を起こすためには、原子をプラズマ状態にし、しかもローソン条件を満たすことが条件であることが明らかになった頃、とんでもないニュースが飛び交い、科学者はもとより、一般の人々まで巻き込んで騒然としました。

ニュース発表とその後

それは核融合が常温で起こったというニュースでした。1989年3月、イギリスのフライシュマンとアメリカのポンズという二人の教授がこの現象を発見したとマスコミに発表しました。

この実験は、重水を満たしたガラスの容器にパラジウムPdとプラチナPtの電極を入れ、しばらく放置したのち電流を流したところ、電解熱以上の発熱（電極の金属が一部溶解したとも伝えられた)が得られ、核融合の際に生じたと思われるトリチウム^{3}H、中性子、ガンマ線を検出したというものでした。

しかし、1989年の発表直後より数多くの追試が試みられたものの、多くは過剰熱の確認ができず、過剰熱の観測に成功したとする実験でも再現性は低かったのでした。実験の反響があまりに大きかったので、1989年4月、アメリカ議会は教授を呼んで聴聞会を開き、常温核融合実験のレポートについて審問を行いました。

その結果、常温核融合の存在そのものについての疑問が持たれたことから、エネルギー省を中心とした調査団が組織されました。調査の結果、ポンズ博士らの実験はあまりに安易で、ずさんな内容であったことが指摘されました。そして、8カ月後には、常温核融合が観察されたという確かな証拠は存在せず、将来的なエネルギー源として研究する必要性はないという内容の報告書が提出されました。

数々の疑問点を突き付けられた教授は大学教授の地位を失い、1990年、家族とともにアメリカを去ったのでした。この実験は各学会でも全面的に否定され、疑似科学扱いされるようになりました。また、今世紀最大の科学スキャンダルとまで言われたのです。

事件のその後

その後、事件に対する注目度の低下に伴い研究は下火になりました。しかし、国際常温核融合学会などを中心に約３００人程度の研究者が世界中で研究を続けました。この様な研究者が注目したのはパラジウムもプラチナも水素吸蔵金属であることでした。これは水素を吸収して金属の結晶格子内に保持することができる金属です。つまり、この様な金属に吸蔵された水素原子は距離が非常に短くなっていることが予想されます。つまり、このような特殊状態で電流を流せば核融合も起こりうるのではと考える説もあったようです。

そうした研究者たちの地道な努力の継続により説得力のあるデータの蓄積も進みました。しかし世界的に著名な論文誌「ネイチャー」、「サイエンス」などでは、常温核融合関連の論文掲載を拒否しています。

常温核融合と企業活動

研究者たちを中心とした常温核融合研究グループは、あくまでも学術的な究明と利用を目的として研究を続けています。しかし、そうした研究者たちの実状とは別に、原理や実態を明かさないまま常温核融合に基づく発電機が完成したとして販売を始める者が現れるなど、派手な動きや無理な反応モデルが発現したとする宣伝も、主にインターネット媒体によるやり取りを通じて広まっているのも事実の様です。

もしかしたら、この騒動は未だこの先も続くのかもしれません。常温核融合は存在するのか存在しないのか、これは日本におけるπウォーターの問題と同様、科学と企業活動の接点でこれからも起こる可能性のある事件なのかもしれません。

Chapter. 7
捏造事件

SECTION 34

論文捏造

最近研究者の論文捏造が問題になっています。以前は、論文捏造はもっぱら理工系の若い研究者に多かったのですが、最近は文系の研究者にも起こっています。しかも文系の場合には教授などの上級職で年齢も上の人に捏造が目立ちます。

論文不正というのは事実でないことを論文に書く、あるいは他人の論文を不正に引用することを言います。事実でないことと言うのは、実験で確かめていない架空の事、実験事実データを改ざんする事を言います。不正引用と言うのは、誰それの論文によれば、とか、引用文献として表記するとかをしないで、他人の論文の文章を借用することを言います。

なぜ論文捏造などという不正が起こるのでしょう？　一つには名誉欲があります。人に認められる論文を書いて学会で認められたい、敷いては社会的に認められたいと言うことです。2000年に明らかになった考古学界における旧石器捏造事件では、捏造した研究者には「神の手」という噂が付いていたそうですが、その様な「称賛」が欲しかったのでしょう。

しかし、それ以外にも、いわば学界や社会の構造に基づく捏造事件もあります。

ポスト

研究者になろうとする人の目標の一つは大学の教授になることです。そのためには大学院で博士号を取り、助教として採用されて准教授、教授と昇任して行かなければなりません。

ところが、この助教就任がなかなか大変です。研究者の場合、就職にしろ昇任にしろ、全ては業績で計られます。業績と言うのはどのような程度の報告を何報書いたかということです。論文が載る雑誌には優劣に従ってスコアがついていて、一流誌だとハイスコアがもらえます。

採用する側は、本来は応募者の論文を読んで内容を審査すべきですが、数十人、場合によると100人近い応募者があります。全員の研究内容を細かく審査するのは事実上不可能です。また現在の高度に分化した研究成果を専門で無い研究者がその優劣を正確に判断するのは難しいです。と言うことで結局、論文が掲載された雑誌のスコアで判断してしまいがちになります。

つまり、この様な業績を増やすために、データを捏造してありもしないことを書き、論文をでっち上げてしまうことになるのです。

任期

運と業績に恵まれて助教になることができたとしても、安心はできません。一般に助教には定年以外の任期があり、それは次の3種類があります。

❶ 任期が短い例(特任助教) ＝ 1年更新(最大3年)
❷ 任期が長い例(国立大助教)＝ 5年更新(最大15年)
❸ 任期なしの例(私立大助教)＝ 定年まで勤務 ＝ 安定

最近の国立大学では70％近い助教が❷の条件で雇用されていると言います。この場合、任期が切れたらどうなるのでしょう？　次の3つのコースがあります。

- 他の大学にまた助教として雇用される
- 運と業績に恵まれて現在の大学、あるいは他の大学の准教授に昇進する
- 武運拙く会社に出る

助教でも准教授でも、とにかく大学に残ろうとしたら業績を出すしかないのです。

研究費

理工系の研究にはお金がかかります。研究機器、測定機器は高価です。1台何億円などというものはザラです。日常的な実験器具でも何万、何十万です。しかしこのような器具の多くは消耗品です。その他に化学系なら試薬、溶媒、反応用ガラス容器などの純粋な消耗品も必要です。

これらの購入には年に、場合によれば数百万かかり、それが買えなければ研究できません。研究ができなければ業績を出せません。業績を出せなければ、せっかく手に入れた大学のポストを放棄しなければなりません。

大学から支給される研究費は年々細くなっています。それを補うものとしていろいろの官庁から研究費が出ていますが、それに応募して採用されるためには業績が必要です。民間会社との共同研究もありますが、業績の無い研究者と共同研究するほど株主に対して無責任な会社は滅多にありません。

ということで若い研究者の多くは切羽詰まっているのです。

告発の有無

この他に、不正の告発を行う文化が育っているかどうかという問題もありそうです。海外では内容の誤っている論文を指摘する論文が多いといいます。指摘された研究者はまた論文上でそれを打ち消すデータ、解釈を掲載します。

しかし、日本ではそうしたことはあまり行われません。日本では疑義の提起はタブー視される傾向が強く、論文不正の告発はあっても匿名で行われることが多くなります。

これが結果的に捏造をすることにつながり、一度捏造した研究者は味を占め、あるいは前の捏造論文の続編、あるいは補強編としてまた捏造論文を書くという悪循環に陥りかねません。

管理体制

こうした事態に対処するためには独立したチェック・処分機関を設けるのが良いのでしょうが、中々困難なようです。この様なことを行えるのは研究者と同等の能力を持つ人に限られるでしょうし、その様な人なら、人の論文を疑いながら読むような職に就きたいとは思わないでしょう。

日本では官僚の多くが文系出身者です。国立大学が行政法人化されて以降、この様な文系官僚が大学に執行部役員として送り込まれています。この様な官僚が理工学部の研究内容、研究環境を理解するのは難しいでしょう。短い出向期間の間に官僚としての「業績」を残して本庁に戻るためには、大学に努力目標、それの達成度の自己調査をやらせ、「結果を出しなさい」と迫るのが簡単です。

この結果、短絡的に数値指標を重視する場面が増えてきます。海外では、理系の博士号取得者が省庁のトップや首相にまで出世できる仕組みがあるそうです。日本では小学校しか出ていない人が首相になった例はありますが、博士号を持った首相はいません。

最近多くのノーベル賞受賞者が出て、科学大国の仲間入りをした観のある日本ですが、現実は捏造が横行し、今後の未来はしりすぼまりになりそうな雰囲気に思えます。

SECTION 35

不名誉な捏造「世界記録」事件

論文捏造に関しては、科学史に(不名誉な)名前を残すかと思われる有名な事件がいくつかありますが、一人の人物が発表した捏造論文の本数で断然トップをいくのは日本のこの人物です。

事件の発端

2012年6月、日本の医学会で考えられないほどのスケールの論文捏造が明らかになりました。なんと一人で200編近くの論文を捏造したという医師が現われたのです。これほど大量の論文捏造は世界に例を見ません。

論文を捏造したとされたのは麻酔科医師のF氏であり、F氏は私立T大学医学部医学科を卒業後、複数の大学医学部で麻酔科の助手、講師を歴任し、海外の学術誌にもたびたび論文を掲載されていました。12年2月までは私立大学医学部麻酔科の准教授を勤めていました。

論文捏造疑惑の告発を受けた日本麻酔科学会ＪＳＡが論文調査特別委員会を立ち上げて調べた資料によると、11年7月に海外ジャーナルからＦ氏の勤め先の大学宛にＦ氏の論文の捏造疑惑の調査依頼がありました。調査の結果、Ｆ氏が以前勤めていた民間病院で行ったとされる8論文の研究について、倫理委員会の承認を得ずに実施したことがわかり、大学はＦ氏を12年2月付で諭旨退職処分としました。

事件の発展

ところが、事件はこれだけでは終わりませんでした。その後、海外の複数の麻酔科関連ジャーナルが、Ｆ氏が関係する１６８編の論文を統計学的に分析した結果、データの正しさに疑問が生じたなどと発表したのです。

ＪＳＡは12年3月に特別委員会を設置し、Ｆ氏の全論文２４９編のうち２１２編を調査対象とし、論文内容、生データ、実験ノートなどの資料の精査、研究実施施設での研究関連記録の調査、関係者の面接調査を実施しました。

3月、6月の2回行ったF氏への面接では、本人は捏造を認めませんでした。しかしデータなどの調査の結果、多くの論文について、研究対象が1例も実在せず、薬剤の投与も行われず、研究自体が実施されなかったことが明らかになりました。

なんと、まるで「小説でも書くように、研究アイデアを机上で論文として作成したものである」という事実が明らかになりました。委員会はこれを受け、「捏造あり」が172編、捏造されたかどうか判断できないものが37編だったとの調査結果を発表しました。なお、「捏造なし」と断定できる論文はわずか3編だったと言います。

捏造は1993年の臨床研究2編を皮切りに、2011年までの19年間にわたって行われていたということでした。

事件の波紋

F氏は捏造した論文の業績を大学での昇進や採用に利用したほか、公的研究費を得るのにも使っていました。

T大学がF氏を諭旨退職処分にしたあと、さらに大規模な捏造を隠したわけですが大学ではこれを受けて重い処分に変更するなどはしていないとのことです。

調査によるとこれまでの捏造論文数はドイツの麻酔科医、Y氏の約90編でしたがF氏の172編はこの記録を大幅に塗り替えたことになり、まさしくギネスブックもののなんとも不名誉な「世界記録」を樹立したことになります。

ここまで大規模な論文捏造を、なぜ大学は見抜けなかったのでしょうか？　特別委員会によると、「次々と論文を発表すると同僚に疑われるため、データは前に勤務していた病院またはアルバイト先の病院でとったものであるかのように装っていた」「共著者に他施設の医師を入れることにより、実施施設が複数にまたがっているかのように装った」というやり方が長期間、大量の論文捏造の発覚を免れるのに有効だったとしています。

捏造の背景

大学関係者の中には、捏造は気付かれていても見逃されていたのではないかといいます。というのは、捏造が明るみになると著者だけでなく、大学の名前も傷付くため、なるべく隠そうとするケースが多いのだと言います。

また、世界には学術誌が大量に存在し、掲載のための審査も無く、掲載料さえ出せば簡単に論文を載せられるものもあるといいます。もちろん論文の捏造はハイリスクですが、これだけ多くの学術誌があれば見つからないかもしれないという気持ちと、日本は学問の不正に対して甘さがあるため、やってしまう人も少なくないのかもしれないと言う説もあります。

SECTION 36

韓国細胞学者の幹細胞事件

幹細胞研究の意義

普通の細胞は細胞分裂をして親細胞と同一の2個の娘細胞となります。したがって、皮膚細胞が細胞分裂すれば、出来る細胞は全てが皮膚細胞ということになります。ところが幹細胞というのは分裂してできた2個の細胞のうち、1個は親と同じですが、もう1個は親細胞と異なる細胞になるという特殊な細胞なのです。

これは、幹細胞から幹細胞以外の細胞、例えば心臓の細胞や眼の細胞が出来る可能性を秘めていることになります。このようにして作った細胞を疾患のある臓器に移植したら、その疾患が治る可能性があります。そのため、幹細胞は注目されたのです。

しかし、受精したばかりの杯細胞は細胞分裂を繰り返して心臓、眼、脳、皮膚などあらゆる臓器になって生命体を作っていきます。つまり、受精卵、杯細胞（ES細胞）こそは万能の幹細胞なのです。

それなら、受精卵ES細胞を分裂制御して心臓の細胞に特化させて移植すれば良いのでしょうか？　ヒトの受精卵はそのまま成長すれば1人のヒトに成長する細胞です。これを心臓細胞に特化させるということは、1人のヒトの命を奪うことになります。その様なことが許されるのでしょうか？

ということで、受精卵以外のES細胞、幹細胞探し、あるいは幹細胞作りがはじまりました。その解答の一つがiPS細胞だったのです。

ES細胞捏造事件とは

韓国の獣医化大学のF教授が、2004年から2005年にかけて発表した、クローン胚由来ES細胞に関する論文は世界的な反響を呼びました。人間の細胞をクローンし、そこからES細胞を作製することに成功したというのです。

受精卵を用いなくても、ES細胞を利用した新しい治療法の可能性が期待されることになったのです。事故等で脊椎損傷などの障害を負った患者の治療が可能になるとメディアで大きく取り上げられました。

この業績によって韓国ではF教授は韓国最初のノーベル賞をもらえるものとの期待が高まり、当時F教授は国民的英雄として称えられました。

しかしその後、F教授の研究を巡って内部告発が起こり、それをきっかけに、卵子提供に関する倫理手続き等の不正や、論文の写真、DNA指紋など様々なデータの捏造が次々と指摘されるに至りました。その結果、結局ES細胞自体が存在しなかったことが明らかになってしまったのです。

F教授はこの責任によって大学を罷免されましたが、教授はこの決定を不満として裁判に持ち込みました。現在、教授は別の研究所で動物のクローンに関した研究を精力的に行っているということです。

SECTION 37 ＳＴＡＰ細胞事件

２０１４年、年が明けて1カ月も過ぎないうちに大ニュースが飛び込みました。それは科学的なニュースでしたが、センセーショナルな内容とセンセーショナルな研究者の装いとで二重の意味でセンセーショナルになったのでした。そして、その結末までもがセンセーショナルでした。

発端

２０１４年1月30日、英国の科学誌「Ｎａｔｕｒｅ」電子版において、Ｏ氏を中心とする理化学研究所と、ハーバード大学の研究チームが合同で、次の内容の論文を発表しました。

❶化学的、物理的な外的刺激をマウスの体細胞に与えて、初期胚のような未分化の状態へと戻すことが可能である。このようにして作り出した万能細胞を「STAP細胞」と呼ぶ。

❷STAP細胞は従来の幹細胞生成で必要だった核移植・遺伝子の組み込み・タンパク質の注入といった細胞内部への操作は不要で、体細胞に化学的・物理的な刺激を外から加えるだけという簡単な手法で作ることができる。

❸STAP細胞の分化能力は、ES細胞やiPS細胞のそれを上回るもので、胎盤や羊膜への分化も可能である。

以上の内容は生物学の常識を覆す大発見であり、世界中で報道され、当然日本でも大きくとりあげられました。

特に日本においては、研究内容の革新性に加えて、論文の筆頭著者であるO氏が若干30歳の女性であることも大きな話題となりました。「理系女子」を略したリケジョという言葉が使われ、白衣の代わりに割烹着を着る、研究室の壁紙を替えたり飾り付けたりするなど、O氏本人に対する報道も加熱しました。当然、ノーベル賞を期待する声もあがりはじめました。

疑惑の浮上

しかし早くも2月5日には、海外の研究者たちによる論文検証コミュニティ「PubPeer」が、論文に使われている画像について、データの偽装加工が行われているのではないかという指摘を発表しました。

その後、国内外の研究者からSTAP細胞の論文にいくつもの不審な点が存在することが指摘されるようになり、操作は「簡単」とされているにも関わらず他の研究室での追試がまったく成功していないことも疑惑に拍車をかけました。

これらの疑惑に対し、理研や共同研究者は「単純なミス」「追試の成功には時間がかかる」などの弁明を行い、またより詳細な実験手順を公開するなどして対応しましたが、論文捏造の疑惑は大きくなるばかりでした。

3月10日、ついに共同研究者の一人であるW教授が、「研究が信用できなくなってきた」「データの再検証が必要」として論文の撤回を提案するに至りました。さらに同14日には理研が中間発表を行い、4つの点について研究不正の疑いがあることを認め、論文取り下げの方向で動くことを発表したのでした。

疑惑の証明

3月25日、W教授がSTAP細胞の存在根拠として保存していたマウス細胞を、外部の研究機関で精密検査を依頼しました。その結果、この細胞は主にES細胞に発現する遺伝子の性質を示したため、O氏らが主張していたSTAP細胞が発生したものとは違う系統のマウス由来の細胞であったことが判明しました。

これは発表当初から他の研究者によって指摘されていた、STAP細胞＝ES細胞という図式に該当し、論文捏造の可能性が浮上してきました。

4月1日、理研は調査委員会による最終報告書を公開しました。それは、次の内容でした。

❶ 論文に使われた画像には加工が施されていた
❷ 別の論文の画像が流用されていた

❶については「改竄」、❷については「捏造」とし、研究は不正であったと認めたのでした。そして不正行為は基本的にO氏一人の手によって行われたものと発表しました。

結末

論文疑惑が巻き起こって以来、マスコミの前に姿を現さなかったO氏は、4月9日になって記者会見を開き、「STAP細胞はあります」「作成は200回以上成功した」等の主張をしました。続いて16日には理研でO氏の指導を担当していた教授も会見を行い、STAP細胞の実在を主張しました。

しかし5月6日、理研の調査委員会はこれらの不服申立てに対し、調査結果は妥当であるとして再調査を却下し、研究不正は確定しました。そして同日、関係者に対する処分を検討する懲罰委員会が設置されました。

なお、O氏については過去の論文にさかのぼって検証が行われ、複数の捏造疑惑が発覚し、理研や出身大学を巻き込んでのスキャンダルに発展したのでした。O氏の指導を行った教授が8月に自殺するなど、日本の科学研究の信頼を揺るがす大事件へと発展したのでした。

12月に調査委員会が記者会見を開き、残されていたSTAP細胞を調査した結果、ES細胞由来の可能性が高いと結論をつけ、STAP細胞の存在を否定することとなりました。ただ、ES細胞がどのように混入されたのかまでは追及できませんでした。

SECTION 38

ｉＰＳ細胞の論文捏造事件

ＳＴＡＰ細胞はその発表の当初から、ｉＰＳ細胞を意識したものであることが指摘されていました。ｉＰＳ細胞は幹細胞とは言え、「胎盤や羊膜への分化」は不可能でした。それをＳＴＡＰ細胞は可能にしたなどの記述からそれは読み取ることができます。

しかし、ＳＴＡＰ細胞はｉＰＳ細胞の軍門に完全に敗北したのでした。

ところが、今度はｉＰＳの陣営に論文捏造が起こったのです。

事件

２０１８年、京都大学ｉＰＳ細胞研究所で研究不正が発覚しました。厳しい防止策を講じていただけに関係者の間には大きな衝撃が走りました。

ｉＰＳ細胞研究所で、36歳の助教が研究論文の決め手となるはずのデータを捏造する不正が発覚したのです。研究テーマは、脳を守るために毒素や病原体などの有害物質を通さないバリアー「血液脳関門」という仕組みを作ることでした。iPS細胞から分化誘導した細胞4種類を実験室で混合培養して作ろうという試みでした。

調査

助教は2010年に京大で博士号取得後、米国立衛生研究所傘下の国立老化研究所に博士研究員として留学。14年からiPS細胞研の任期付きの特定拠点助教となりました。16年度から若手向けの科学研究費を受けました。

同年7月に「ヒトiPS細胞から血液脳関門のモデル作成」と題する論文を米専門誌ステム・セル・リポーツに投稿、17年2月に掲載されました。助教は筆頭著者と責任者でこの研究で、16年の日本循環器学会で若手研究者の最優秀賞を受賞し、17年から日本医療研究開発機構の研究費なども得たのでした

ところが掲載5カ月後の7月、同研究所の相談室に「あの論文の信憑性に疑義がある」という情報が寄せられました。9月に調査委員会が組織され、助教個人や研究所に

保管されていた実験ノート、データ類、パソコンなどが調査されました。

測定値を整理した1次データ、それを計算・加工して論文のグラフを描くのに使った2次データを把握し、それらの正当性やグラフが再現できるかどうかを詳しく調べました。

すると、1次データと2次データの値にずれがあるもの、1次データが存在しないものがありました。また1次データを再解析した結果でグラフを描くと、論文のグラフとは異なったグラフになりました。具体的には論文の6つの主要なグラフすべてと、補足資料6つのグラフのうちの5つに、捏造と改竄の痕跡が見られたのです。値の操作は、論文の主張に有利な方向でなされ、明らかに意図的だったと言います。

調査結果を発表した1月22日の会見で助教は「論文の見栄えをよくしたかった」と言いました。

事件の背景

iPS細胞研究所では、約300人が働いています。その9割ほどが任期のある非正規雇用です。いろいろな競争資金が一定期間入るのに合わせて、研究プロジェクトが立ち上がり、参加する研究者が入所します。競争資金は期限付きです。ですから雇うことのできる研究員の人数も期限付きにならざるを得ないのです。簡単に言えば臨時雇いのパートです。

助教もその枠で、この3月が期限だったということです。助教は3月28日懲戒解雇となりました。助教は、大学院在籍時から多くの論文を発表、引用された数も多かったと言います。大学関係者の中には「なかなか優秀」と評価する人もいます。しかし、このような不正が明るみに出れば、もう研究の世界で生きていくことは難しいでしょう。勿体ないと言えば勿体ない話です。

SECTION 39

考古学者の「神の手」事件

研究における捏造事件は理工系だけに起こるものではありません。考古学でも驚くような事件がおこりました。一般に「旧石器捏造事件」と言われる捏造事件です。

古代エジプトやインカ文明を持ち出さなくても考古学にはロマンを誘うものがあります。日本でも卑弥呼ブーム、火炎土器ブームなどのブームが何回も繰り返し起こっています。その様なものの中に旧石器ブームというものもあります。

日本列島に人類が渡ってきたのは、人類史で後期旧石器時代と言われるおよそ12万年前とされており、これ以降、縄文式土器などが現われる新石器時代と言われる1万6000年ほど前までの年代を「日本の旧石器時代」と呼びます。

事件の発端

日本各地で旧石器時代の遺物や遺跡が発見され、原人ブーム、旧石器時代ブームとなっていた2000年頃に、この事件は起こりました。なんと当時発見された旧石器時代の遺物と言われた石片の遺物の多くが、発見者自らが埋めて置いた偽物だったと言うことが露見されたのです。

埋めて、その後で自ら掘り出して旧石器時代の遺物だと言って自作自演していたのは、多くの発掘調査に携わっていた考古学研究家のF氏でした。

F氏は1970年代半ばから各地の遺跡で捏造による「旧石器発見」を続けていました。しかし、よくない噂を聞いて張り込みを続けていた新聞社のカメラマンに、石器を事前に埋めている姿を写真に撮られ、スクープされたのでした。2000年11月5日のことでした。これにより日本の旧石器時代研究に疑義が生じ、日本考古学界最大の不祥事となり、海外でも報じられました。それだけでなく、中学校・高等学校の歴史の教科書はもとより大学入試にまで影響が及びました。

事件は、遺物の年代推定が火山灰層の年代にのみ頼りがちであったことなど、旧石器研究の科学的手法の未熟さが露呈された事件であったと言うことが出来るでしょう。

捏造の推移

捏造発覚当時、捏造を行っていたF氏は民間研究団体「東北旧石器文化研究所」の副理事長を務めていましたが、彼が捏造を開始したのは1970年代にアマチュアとして、宮城県の旧石器研究グループ「石器文化談話会」に近づいた時からだったと言われます。

同会は、日本における前期旧石器時代の存在の可能性を唱えていたO氏をリーダーとした考古学者らとF氏のような在野の考古学愛好者らからなる発掘調査チームでした。F氏はそれ以来、捏造発覚までの約25年間、周囲の研究者が期待するような石器を、期待されるような古い年代の土層(ローム層)から次々に掘り出して見せ、「神の手」と呼ばれるまでになったのでした。

このことはまた、そうした「考古学的大発見」を町興しや観光につなげたい地元関係者からも歓迎されました。

しかし、「発見」された遺物の9割方は、彼自身の手によって表面採集や発掘されたものであり、他人の手によって発掘されたものも、彼があらかじめ仕込んでおいたものとされています。この様な遺物は、自らが事前に別の遺跡の踏査を行って集めた縄文時代の石器がほとんどであると考えられています。

周囲の状況

批判があったにもかかわらず、なぜ長期間、捏造とそれに基づく誤りがまかり通ったのかについて、日本考古学協会は特別委員会を構成して事件の調査を行いました。

捏造された石器や出土状況を調べると、火砕流の中から出土するなど、不可解で不自然な遺物や遺跡だったのであり、中には数十キロも離れた遺跡から発見された石器の切断面が偶然一致した、というような信じがたい発見もあったと言います。しかし当の研究グループは都合の良い解釈をあてることでそれらの事実を無視し続けたのでしょう。

発掘成果が出ない日が続いても、F氏到着の翌日か翌々日に「大発見」がある事、ゴールデンウィーク中に「大発見」が集中している事、「大発見」がF氏に集中していた事など不自然な点はグループリーダーのO氏も疑っていたようですが、調査や批判などは行っていませんでした。

また現場で発掘作業する考古学愛好家の一部から疑いも出ていたと言います。しかし一介のアマチュアが証拠や確証も無く疑義を唱える事は、はばかられる状況になっており、反証・反論を行うのは困難になっていたと言います。

政府も、関連遺跡を国の史跡に指定したり、石器を文化庁主催の特別展に展示するなど、周囲にこれらの研究を無批判に歓迎し後押しする雰囲気があったことも事件を助長させる役割を果たしたと言えるでしょう。

「前・中期旧石器」の研究が活発であった当時は批判が難しかったと言いますが、それでも次のような指摘はありました。

❶ 軽石の降下や水害が相次ぐ土地に連綿と移住した要因が不明である
❷ 発掘された石器の殆どは水平に埋設している
❸ 石器が単品で出土している

しかし、このような今となっては正当な批判は、新聞社のスクープまで、学界として省みられることはありませんでした。

問題の基本的な原因は「石器の科学的な年代同定は埋まっていた土層の年代測定によるしかない」という考古学の研究手法の脆弱さにあるのでしょうが、その他にも人的な原因が複雑に絡み合っていたのではないでしょうか。そして、その様なことは人が集まれば必ず起こる問題です。せめて研究が好きで集まった学会にはそのようなことが二度と起こることが無いようにしたいものです。

捏造の影響

その後、F氏の関わった全ての遺跡について再点検が行われましたが、その石器の多くには発掘時に傷つけられた傷(がじり)ではありえないものや、複数回にわたって鉄と擦過した痕跡である「鉄線状痕」などが認められたと言います。旧石器時代に鉄器が存在するはずがありません。これはこれらの石器が旧石器時代の物ではない証拠です。

当初、日本列島における前・中期旧石器研究は、そのような古い時代の石器は日本にはないだろうという批判を浴びていました。しかし、F氏の発掘成果が強力な裏づけとなり、1980年代初頭には研究は確立したと宣言されました。さらに捏造発覚前には、日本の旧石器時代の始まりは、アジアでも最も古い部類に入る70万年前までに遡っていたとされていたのでした。

しかし捏造発覚により、F氏の成果をもとに築かれた日本の前・中期旧石器研究は全て瓦解し、東北旧石器文化研究所は「学説の根幹が崩れた」として解散せざるをえなくなりました。

SECTION 40

若手科学者の論文捏造事件

若くしてノーベル賞間違いなしとされ、天才科学者の誉れ高かった男が実は論文捏造を繰り返していたのでした。この事件が明るみに出てから、この研究分野から去る研究者が続出しました。

有機超伝導体

金属は電気の良導体ですが、それでも電気抵抗はあります。そのため、金属針金を巻いたコイルに電気を通せばジュール熱を発生して熱くなります。この現象を利用したのが電熱器(電気コンロ)です。

しかし、金属の電気抵抗は温度が低くなると小さくなります。つまり金属は低温の方が電気を良く通すのです。そして金属固有の温度、臨界温度以下になると電気抵抗は突如0になります。この状態を超伝導状態と言います。

鉄線にコイルを巻いて電流を流すと電気磁石になります。しかし普通の状態のコイルに電気を通せば発熱して熱くなるので、あまり強力な電磁石を作ることはできません。しかし、超伝導状態のコイルを用いればいくらでも強力な電磁石を作ることができます。この磁石を超伝導磁石と言い、各種研究器具、脳の断層写真を撮るMRI、リニア中央新幹線で、車体を浮上させるための磁石などに用いられています。

問題は臨界温度が絶対温度数K(ケルビン)、摂氏マイナス270℃前後と極度に低いことです。この様な極低温は液体ヘリウムを使わなければ作り出すことはできません。ところが液体ヘリウムは貴重で希少な資源であり、高価です。そこで、臨界温度を高める研究が積極的に進められています。これが高温超電導体です。

この研究に別の面からアプローチしようという研究があります。それは有機物の超伝導体、有機超伝導体を作るのです。かつては電気を通さないと言われた有機物が、電気を無制限に流す超伝導体になるなど、昔は夢にも思わないことでしたが、現在はいくつもできています。

しかし有機超伝導体も臨界温度は低いです。そこで有機超伝導体の臨界温度を上げようとの研究が進められました。本題の論文捏造はこのような時代、研究背景の元に起こった事件でした。

研究業績

シェーンはドイツのベル研究所で研究していました。彼は60個の炭素原子だけでできた、サッカーボールのように真球の化合物、C_{60}フラーレンを用いた高温超伝導研究で成果を挙げました。2000年に52Kで超伝導を確認したと発表し、有機物における超伝導転移温度の最高記録を塗り替えました。2001年にはこの記録を大幅に更新する117Kに達したと発表しました。また同じく2001年には、分子程度の大きさのトランジスタを作成したと発表したのです。

　これらの研究成果は、もし真正であったならば、人類がシリコンベースのエレクトロニクスから離脱して、有機エレクトロニクスに向かう出発点となるはずの画期的な内容でした。また、従来のシリコンの集積回路では達成不可能な集積回路の小型化を実現するものでもありました。経済的には、シェーンの発明はエレクトロニクスのコストを劇的に下げることになるとも評価されました。

やがてシェーンは傑出した科学者だと見なされるようになり、2001年にはウェーバーバンク賞、ブラウンシュヴァイク賞、2002年には傑出した若手研究者のための材料科学技術学会賞を受賞しました。そして「超電導の分野でノーベル賞に最も近い」とも目されたのでした。

2001年には、シェーンが共著者となった論文が8日に1本のペースで量産されるという、異常ともいえる状況となっていました。

研究態度

当初、シェーンの研究成果は驚異と称賛をもって迎えられました。あまりの成果に「違和感」を覚える研究者が少数いたものの、研究成果の華々しさや賞賛の声の大きさにより打ち消されていました。

またシェーンは好男子で身だしなみも良く、その上礼儀正しくて腰が低いという、人間として見ても好意で迎えたくなる人物だったと言います。

そのせいか、シェーンの研究を追試しても同じ成果を得ることの出来なかった研究者もいたようですが、彼は、それは自分の実験が下手だからであって、シェーンの報告が捏造だなどとは疑ってもみなかったと言います。

シェーンは当時、ベル研究所の研究室とは別に、ドイツのコンスタンツ大学の出身研究室にも時々顔を見せていました。シェーンの成果に違和感を持ったベル研究所の一部の同僚は、実験機器類や実験サンプルを見せて欲しいと申し出ましたが、「重要な実験はコンスタンツ大学で行っているためここではお見せできない」と丁寧に説明され、それ以上の追及はできなかったと言います。

疑惑と調査

やがてシェーンのデータがおかしいのではないかとの指摘が挙がるようになりました。指摘によれば、シェーンのデータには、一般的な物理学上の常識から導き出すことのできない精度のものが含まれていたと言います。

決定的だったのは、シェーンが行ったとされる2つの実験のデータにおいて、それらに含まれる測定ノイズが同一であることが発見されたことでした。これはあり得ないことです。データを作ったことの証明になりえる事実です。同じノイズはシェーンの別の論文でも発見されました。

ベル研究所はシェーンに関する不正調査委員会を立ち上げました。生データの記録をシェーンに要求しましたが、研究所の実験ノートには記載されていませんでした。それればかりか、生データが記録されたファイルは彼のPCから消去されていました。さらに、シェーンは、実験サンプルはすべて捨てたか、修復不可能までに破損してしまったとも述べました。

2002年9月、調査委員会は調査報告書を発表しました。それには24の不正行為に関する詳細な申し立てが掲載されていました。このうち少なくとも16件について、シェーンによる不正行為の証拠が発見されたのでした。多くの論文において、実験データが組み合わされて使い回されていたことが判明しました。実験データからプロットされたはずのいくつかのグラフは、実は数学曲線によって合成された偽物であることも判明しました。

ベル研究所は報告書が公表された日にシェーンを解雇しました。これはベル研究所の長く輝かしい歴史において初めて不正が発見された事件でした。

影響

シェーンのスキャンダルは科学界において、共著者・共同研究者の責任や論文誌査読者の責任についての議論を引き起こしました。調査報告書では共同研究者は全員不正行為に関わっていなかったとされました。しかしながら、全ての共同研究者たちがシェーンを信じ切って誰も実験データを調べようとしなかったことの責任が追及されることはありませんでした。

一般に科学の論文は掲載される前に類似研究領域の複数の研究者に送られて査読を受けます。査読をパスした論文だけが掲載を許されるのです。今回の査読者はシェーンの捏造行為を見抜くことができなかったことになります。

一般に論文査読の主目的は、論文の新規性と実験方法や評価方法の妥当性を判断すること、および論文原稿の文面上から判断できる誤りを見つけることです。原稿執筆以前の段階に捏造などの研究不正が入り込んでいる可能性を考慮して査読するわけではありません。その意味では性善説に従って査読します。そのため、査読に回されてきた原稿の情報だけで不正を見抜くことは困難とされます。

シェーンは多くの論文でデータが正しくなかったことは認めました。しかし実験自体は成功であり、成果に関しては納得のいく証拠を見せることができる、自分のテクニックを使うことで分子サイズのトランジスタは実現可能である、という主張を続けました。

しかし、複数の大学研究室が行った追試ではシェーンと同じような実験結果は得ることができませんでした。

さ行

英数字・記号

あ行

か行

ま行

や行

ら行

た行

な行

は行

■著者紹介

齋藤《さいとう》　勝裕《かつひろ》

名古屋工業大学名誉教授、愛知学院大学客員教授。大学に入学以来50年、化学一筋できた超まじめ人間。専門は有機化学から物理化学にわたり、研究テーマは「有機不安定中間体」、「環状付加反応」、「有機光化学」、「有機金属化合物」、「有機電気化学」、「超分子化学」、「有機超伝導体」、「有機半導体」、「有機EL」、「有機色素増感太陽電池」と、気は多い。執筆暦はここ十数年と日は浅いが、出版点数は150冊以上と月刊誌状態である。量子化学から生命化学まで、化学の全領域にわたる。更には金属や毒物の解説、呆れることには化学物質のプロレス中継?まで行っている。あまつさえ化学推理小説にまで広がるなど、犯罪的?と言って良いほど気が多い。その上、電波メディアで化学物質の解説を行うなど頼まれると断れない性格である。著書に、「SUPERサイエンス セラミックス驚異の世界」「SUPERサイエンス 鮮度を保つ漁業の科学」「SUPERサイエンス 人類を脅かす新型コロナウイルス」「SUPERサイエンス 身近に潜む食卓の危険物」「SUPERサイエンス 人類を救う農業の科学」「SUPERサイエンス 貴金属の知られざる科学」「SUPERサイエンス 知られざる金属の不思議」「SUPERサイエンス レアメタル・レアアースの驚くべき能力」「SUPERサイエンス 世界を変える電池の科学」「SUPERサイエンス 意外と知らないお酒の科学」「SUPERサイエンス プラスチック知られざる世界」「SUPERサイエンス 人類が手に入れた地球のエネルギー」「SUPERサイエンス 分子集合体の科学」「SUPERサイエンス 分子マシン驚異の世界」「SUPERサイエンス 火災と消防の科学」「SUPERサイエンス 戦争と平和のテクノロジー」「SUPERサイエンス 「毒」と「薬」の不思議な関係」「SUPERサイエンス 身近に潜む危ない化学反応」「SUPERサイエンス 爆発の仕組みを化学する」「SUPERサイエンス 脳を惑わす薬物とくすり」「サイエンスミステリー 亜澄錬太郎の事件簿1　創られたデータ」「サイエンスミステリー 亜澄錬太郎の事件簿2　殺意の卒業旅行」「サイエンスミステリー 亜澄錬太郎の事件簿3　忘れ得ぬ想い」「サイエンスミステリー 亜澄錬太郎の事件簿4　美貌の行方」「サイエンスミステリー 亜澄錬太郎の事件簿5［新潟編］　撤退の代償」「サイエンスミステリー 亜澄錬太郎の事件簿6［東海編］　捏造の連鎖」（C&R研究所）がある。

編集担当：西方洋一 ／ カバーデザイン：秋田勘助（オフィス・エドモント）

SUPERサイエンス
ニセ科学の栄光と挫折

2021年4月1日　　初版発行

著　者　齋藤勝裕

発行者　池田武人

発行所　株式会社　シーアンドアール研究所
新潟県新潟市北区西名目所4083-6（〒950-3122）
電話　025-259-4293　　FAX　025-258-2801

印刷所　株式会社　ルナテック

ISBN978-4-86354-341-6 C0043